# 比"记忆"更重要的是"发现"

　　真心地希望这套读本是你的一扇窗。透过这扇窗,你可以看远方、看世界。

　　是的,这套读本收录了古今中外许许多多优秀的作品。我们努力为你打开一扇窗,让你多读一些作品,多读一些好作品,开窗放入大江来,大江大河,浩浩荡荡,两岸开阔,涛声千里。

　　但是,这套读本,不只是让你读得多一点,不是主要让你"记忆和背诵",我们更希望你通过这套读本——

　　学习阅读。阅读一定是有方法的。例如,有的人特别善于比较,能特别快地发现几篇文章的共同点和差异。有的人特别会整理,善于把散乱无序的信息整合在一起,还能厘出一个头绪;有的人特别擅长推理,看了前面的信息,能比较准确地推测出结局……只要是方法,就可以练习;练习之后,就会有提高。这套读本就是通过特别的编排,让你练习推论、比较、整合、分析、判断等实用的阅读方法。直到有一天,你自己习惯了在阅读中不断总结出适合自己的阅读方法。

　　学习表达。表达一定是有规律的。一个五年级的孩子总结了几十个写作技巧,需要强调的是,这些技巧是她自己在大量阅读中提炼出来的，随便列举两条：

1. 文章中的主人公，你一定别让他说太多话，而是用他的行动、神态及别人的语言来突出他的性格，他的与众不同。

2. 抓住生活中的一切细节，把细节描述得越细小就越能打动人。如写小朋友哭，可以从他使劲忍着不让眼泪流下来写起，一直写到眼圈发红，到无声流泪，再到号啕大哭。

且不说她总结得对不对，这种总结本身是很了不起的，这是一个优秀的阅读者的表现。这套读本在编排上就是鼓励你去发现表达的规律：文学里的幽默与讽刺、故事中的转折、故事里的主角与配角、故事的高潮、日记和信在文学中的运用、事物的象征意义等。直到有一天，你自己习惯了在阅读中不断追问：这篇文章是怎么写的？

学习**思考**。思考也是可以练习的。我们现在所处的社会是一个"多元共生、众声喧哗"的社会。什么意思呢？我们每天都会接收到许许多多"信息"和"观点"，但其中有一些信息是片面的甚至错误的，"观点"可能是对立的、矛盾的。例如有的文章说传统的纸质书籍终有一天会彻底消失，因为电子书携带方便，存储量大，在音乐、图片和地图等方面占尽优势。但也有文章说纸质书籍不可能消失，可以放在书架上的"真正的图书"那种厚重、耐久和令人愉悦的感觉是不可能被替代的。那么问题来了，你怎么看呢？这些文章说得有道理吗？你是都赞成还是都反对？抑或你有自己的想法。是的，在这样一个世界里，你必须要学会思考，尤其是独立思考，尤其是批判性思考。因此，这个读本就经常构建复杂的阅读情境，让你练习自己做出判断，让你渐渐明白，一个好的阅读者，应该不崇洋，不泥古，不唯上，勇敢读出自己的见解。

为了让你能更好地学习阅读、表达、思考，这套读本在编排上费尽心思。

这套读本，你不能一篇一篇读，你要一组一组读，我们可以称之为"群读"。这套读本，文章与文章之间是有联系的，是根据某一个"议题"组合在一起的。

有时候是把**作家**作为议题。例如，把老舍的文章放在一起，你一读，就能了解老舍的写作风格。厉害的读者就是这样，连续读一个作家的作品，去走近李白，走近鲁迅，走近西顿，走近新美南吉……

有时候是把**体裁**作为议题。例如，把创世神话放在一起，你就能了解创世神话的特点。厉害的读者就是这样，连续读一个体裁的作品，去了解童话，了解民间故事，了解诗歌，了解小说……

有时候是把**表达形式**作为议题。例如，把一些相似的童话放在一起，你就会发现原来很多童话都是"反复结构"的，主人公遇到三次困难，发生三次变化，交换三次物品。厉害的读者就是这样，连续读一类文章，去发现写作的技巧，发现故事的密码，发现文学的秘密。

有时候是把**人文主题**作为议题。例如，把关于友情的诗歌文章放在一起，你就会通过这组文章进一步思考"我们为什么需要朋友""真正的友谊是怎样的"。厉害的读者就是在这样的"群读"中思考各种问题，例如如何看待宠物，如何面对诱惑，甚至怎么看待死亡……

有时候是把**阅读策略**作为议题。例如，我们把《渔歌子》《黄鹤楼送孟浩然之广陵》《面朝大海，春暖花开》等诗歌放在一起，乍一看，这些诗歌来自各个时代，也没有什么"相似之处"，但是我们都可以用到"抓住诗歌里的矛盾读懂诗歌"这一阅读策略。例如在《渔歌子》里，为什么诗人要用"青"和"绿"来形容棕色的蓑衣呢？再如在《黄鹤楼送孟浩然之广陵》里，为什么原本帆影点点的交通要道，在李白送别孟浩然的时候，竟然是"孤帆"呢？又如在《面朝大海，春暖花开》里，面朝大海，为什么会看到花团锦簇的景象呢？……抓住这些"矛盾"追问思考，或许解读诗歌会"柳暗花明又一村"。

亲爱的小读者，你发现了吧？这套读本我们主张"发现至上"，真心地希望你在这套书中找到阅读的乐趣，这种乐趣来自于"发现"，发现阅读的方法，发现文学的奥秘，发现思考的力量。你可以跟着每一组文章前的"导语"，跟着文章后面的"问题"去发现，发现至上，发现最美。

这套读本的编写历时三年。在这三年里，一个议题一个议题地敲定，一篇文章一篇文章地选择，一道题目一道题目地设计……阅读和思考几乎就是我全部的生活。

这套读本能够顺利诞生，和各位小读者见面，还要感谢曹海棠老师全程辅助选文、整理与设计。

祝你们阅读愉快！

蒋军晶

2017年6月

上编

目录
MU LU

学会表达

**群文议题1　有趣的"尾巴歌"**

了字歌 / 民间儿歌　4

瓜字歌 / 民间儿歌　5

到处都是头 / 民间儿歌　7

砍蚊子 / 程逸汝　8

**阅读聊吧　9**

**群文议题2　好玩的连锁调**

九十九座山 / 民间儿歌　12

野牵牛 / 金波　13

扁嘴嘎嘎 / 民间儿歌　14

生了白胡子 / 民间儿歌　15

孙悟空打妖怪 / 攀家信　17

**阅读聊吧　19**

**群文议题3　有形状的"图像诗"**

火车　22

伞 / 张贤坤　23

钓鱼 / 林武宪　24

瞌睡虫 / 陈木城　25

气球 / [加]柯林·希伯度　26

**阅读聊吧　27**

**群文议题4 和小动物说说话**

小鸟 30

鱼儿睡在哪里 / [苏联]伊·托克玛科娃 31

雀儿 / [意]贾尼·罗大里 32

收获 / 方素珍 35

阅读聊吧 37

学会阅读

**群文议题5 读古诗,想画面**

江南 / 汉乐府 39

咏雪 / [明]袁宏道 40

春游湖 / [宋]徐俯 41

登山 / [明]唐寅 42

阅读聊吧 43

**群文议题6 一个都不能少**

六个娃娃七个坑 / [捷克]艾·彼齐什卡 45

十一头驴 / 南斯拉夫民间故事 47

包袱、雨伞、文书和我的故事 /
  中国民间故事 49

阅读聊吧 51

**群文议题7　我们一起吹大牛**

毛虫和蛾子 / 顾城　53

我要生起气来 / [捷克]奈兹瓦尔　54

蛐蛐说大话 / 民间儿歌　56

爱吹牛的贵族 / 德国民间故事　58

阅读聊吧　60

**群文议题8　不一样的爸爸妈妈**

爸爸的胡子 / 温立飞　63

爸爸的鼾声 / 山飒　64

爸爸的笑 / 陈木城　65

妈妈和太阳 / 屠再华　67

梦中 / 王心远　68

妈妈 / 林良　70

阅读聊吧　71

**群文议题9　勇气是什么**

床底下的妖怪 / 米吉卡　73

鳄鱼怕怕，牙医怕怕 / [日]五味太郎　75

雷公糕 / [美]派翠西亚·波拉蔻　77

魔奇魔奇树 / [日]齐藤隆介　81

勇气 / [美]伯纳德·韦伯　85

阅读聊吧　88

**群文议题10　大个子和小个子**

大个子和小不点 / [美]艾诺·洛贝尔　91

做大狗好还是做小狗好 / [俄]乌萨乔夫　93

骆驼和羊 / 中国寓言故事　96

你很快就会长高 / [英]安琪雅·薛维克　98

阅读聊吧　102

# 下编

**学会表达**

**群文议题11　让舌头打结的绕口令**

门后有个盆 / 民间儿歌　108

巧巧和小小 / 民间儿歌　109

妞妞扭牛 / 民间儿歌　110

画凤凰 / 民间儿歌　111

八十八只八哥鸟 / 民间儿歌　112

**阅读聊吧　113**

**群文议题12　他们藏哪儿了**

捉迷藏 / 圣野　116

蟋蟀 / 赵宗宪　118

藏好了吗 / [日]金子美铃　119

捉迷藏 / 谢武彰　121

**阅读聊吧　122**

**群文议题13　关于蝴蝶和花的诗**

小小蝴蝶小小花 / 朱晋杰　124

蝴蝶·豌豆花 / 郭枫　125

树叶蝴蝶 / 民间儿歌　126

捉蝴蝶 / 胡的清　127

美丽的蝴蝶花 / 民间儿歌　128

蝴蝶飞 / 金波　129

**阅读聊吧　130**

**群文议题14　诗歌中的比喻与拟人**

鞋 / 林武宪　132

拉链 / 陈木城　134

时间 / 林智敏　135

雨天 / [日]横山直美　136

**阅读聊吧　137**

**群文议题15　发生在黑暗中的故事**

一个黑黑、黑黑的故事 / [美]露丝·布朗　140

吃掉黑暗的怪兽 / [英]乔伊斯·邓巴　141

静悄悄的夜晚 / [美]乔纳森·宾　146

讨厌黑夜的席奶奶 / [美]凯利·杜兰·瑞安　149

**阅读聊吧　152**

**学会阅读**

**群文议题16　猜猜它是谁**

＿＿＿＿＿＿＿ / [唐]李峤　155

＿＿＿＿＿＿＿ / 李昆纯　156

＿＿＿＿＿＿＿ / 阎妮　157

＿＿＿＿＿＿＿ / 杨唤　159

＿＿＿＿＿＿＿ / 林焕彰　160

**阅读聊吧　161**

**群文议题17　读懂古诗中的颜色**

绝句四首(其三) / [唐]杜甫　163

山行 / [唐]杜牧　164

晓出净慈寺送林子方 / [宋]杨万里　165

天净沙·秋 / [元]白朴　166

**阅读聊吧　167**

**群文议题18  这个世界为什么要有规则**

十一只小猫做苦工 / [日]马场登  169
要是我不遵守规则 / [法]碧姬·拉贝  172
规则 / [英]卡西·迈尔、夏洛特·纪尧姆  178
大卫的规则(节选) / [美]西西亚·洛德  180

**阅读聊吧  187**

**群文议题19  找呀找呀找朋友**

萤火虫找朋友 / 孙幼军  190
征友启事 / 方崇智  193
我有友情要出租 / 方素珍  195
红狐狸找朋友 / 陈模  199

**阅读聊吧  201**

**群文议题20  丑有什么不好**

丑 / 卢继宝  204
大拇指  205
我就是我 / [英]安·米克  206
丑小鸭 / [丹麦]安徒生  208

**阅读聊吧  214**

上编

# 有趣的"尾巴歌"

**导语**

　　你一定注意过小兔的尾巴，小兔的尾巴是短短的。你一定注意过小猴的尾巴，小猴的尾巴是长长的。可你注意过儿歌的尾巴吗？读这组儿歌时，请注意每句话的最后一个字，你一定会为你的发现而感到惊喜。

# le zì gē
# 了字歌

民间儿歌

guò shān chē
过 山 车 ，

shàng tiān le
上 天 了 ，

rù dì le
入 地 了 ，

téng yún le
腾 云 了 ，

jià wù le
驾 雾 了 。

guò shān chē
过 山 车 ，

xià shān le
下 山 了 ，

wǒ biàn chéng
我 变 成 ，

liú xīng le
流 星 了 。

# guā zì gē
# 瓜字歌

民间儿歌

liǔ shù yá　　liǔ shù huā
柳树芽，柳树花，

shù xià yǒu jiā hǎo rén jiā
树下有家好人家，

yǎng de ér zi huì zhòng guā
养的儿子会种瓜：

dà ér zi　　zhòng dōng guā
大儿子，种冬瓜；

èr ér zi　　zhòng xī guā
二儿子，种西瓜；

sān ér zi　　zhòng nán guā
三儿子，种南瓜；

sì ér zi　　zhòng běi guā
四儿子，种北瓜；

wǔ ér zi　　zhòng sī guā
五儿子，种丝瓜；

liù ér zi　　zhòng fāng guā
六儿子，种方瓜；

qī ér zi　　zhòng huáng guā
七儿子，种黄瓜；

bā ér zi　　zhòng jiāo guā
八儿子，种茭瓜；

jiǔ ér zi　　zhòng tián guā
九儿子，种甜瓜；

有趣的「尾巴歌」

shèng xià shí ér zi méi shá zhòng
剩下十儿子没啥种，

chéng tiān zài jiā hú dǎo gu
成天在家胡捣鼓，

qiān lái yì zhū lǎ ba huā
牵来一株喇叭花，

dī li dū lū
嘀里嘟噜，

jiē le yí chuàn lǎ ba guā
结了一串喇叭瓜。

dào chù dōu shì tóu

# 到处都是头

民间儿歌

tiān shàng rì tou
天 上 日 头，

dì xia shí tou
地 下 石 头。

zuǐ lǐ shé tou
嘴 里 舌 头，

shǒu shàng zhǐ tou
手 上 指 头。

zhuō shàng bǐ tóu
桌 上 笔 头，

chuáng shàng zhěn tou
床 上 枕 头。

bēi shàng fǔ tóu
背 上 斧 头，

pá shàng shān tóu
爬 上 山 头。

guō lǐ mán tou
锅 里 馒 头，

wǎn lǐ yú tóu
碗 里 鱼 头。

xǐ zài méi tóu
喜 在 眉 头，

lè zài xīn tóu
乐 在 心 头。

7

有趣的「尾巴歌」

# 砍蚊子

程逸汝

树下铺张大席子，

傻熊睡上一阵子。

飞来一只大蚊子，

叮得傻熊缩脖子。

傻熊气得拿斧子，

用足力气砍蚊子。

砍出一身汗珠子，

也没砍死大蚊子。

傻熊不肯动脑子，

两脚一跺扔斧子。

急急忙忙卷席子，

钻进席子当房子。

问题1

　　请你跟我一起读读这组儿歌，读时注意每句话的最后一个字，读着读着，你会发现很多有趣、好玩的地方。

| 篇名 | 趣味朗读 |
|---|---|
| 《了字歌》 | 请你把尾巴"了"字拖长点,是不是有飞的感觉? |
| 《瓜字歌》 | 和好朋友拍着手、对着读,更带劲! |
| 《到处都是头》 | 上看下看,左看右看,摇头晃脑地读,哈哈,是不是很好玩? |
| 《砍蚊子》 | 边读边表演,你看,可爱的傻熊出现了。 |

问题2

　　你一定发现了，这些儿歌大部分句子的最后一个字是一样的。读完了"了字歌""瓜字歌""头字歌""子字歌"，我们也可以来编编其他字的尾巴歌。

问题3

上面这些诗的"尾巴"很明显，而下面这首诗的"尾巴"藏得比较好，秘密就在拼音里，你能找到吗？

## 懒汉懒

民间儿歌

lǎn hàn lǎn
懒 汉 懒，

zhī máo tǎn
织 毛 毯，

máo tǎn zhī bù qí
毛 毯 织 不 齐，

jiù qù xué biān lí
就 去 学 编 篱。

biān lí biān bù jǐn
编 篱 编 不 紧，

jiù qù xué mó fěn
就 去 学 磨 粉。

mó fěn mó bú xì
磨 粉 磨 不 细，

jiù qù xué chàng xì
就 去 学 唱 戏。

chàng xì bú rù diào
唱 戏 不 入 调，

jiù qù xué tái jiào
就 去 学 抬 轿。

tái jiào tái de màn
抬 轿 抬 得 慢，

zhǐ hǎo chī bái fàn
只 好 吃 白 饭。

bái fàn chī bù chéng
白 饭 吃 不 成，

zhǐ hǎo kǔ yì shēng
只 好 苦 一 生。

# 好玩的连锁调

导 语

　　你知道童谣里面有一种形式叫"连锁调"吗？"连锁调"是把上一句的末尾词，用作下一句的开头。下面这组儿歌都是连锁调，一句接一句，读起来朗朗上口，有趣极了！

# 九十九座山
jiǔ shí jiǔ zuò shān

民间儿歌

九十九座山上有九十九棵树，
jiǔ shí jiǔ zuò shān shàng yǒu jiǔ shí jiǔ kē shù

九十九棵树上有九十九只鸟，
jiǔ shí jiǔ kē shù shàng yǒu jiǔ shí jiǔ zhī niǎo

九十九只鸟吵醒九十九个人，
jiǔ shí jiǔ zhī niǎo chǎo xǐng jiǔ shí jiǔ gè rén

九十九个人唤醒九十九座山。
jiǔ shí jiǔ gè rén huàn xǐng jiǔ shí jiǔ zuò shān

<sup>yě qiān niú</sup>
# 野牵牛

金波

野牵牛，爬高楼；

高楼高，爬树梢；

树梢长，爬东墙；

东墙滑，爬篱笆；

篱笆细，不敢爬，

躺在地上 吹喇叭：

"嘀嘀嗒！嘀嘀嗒！"

好玩的连锁调

biǎn zuǐ gā gā
# 扁嘴嘎嘎

民间儿歌

biǎn zuǐ gā gā　　xiǎng chī huáng guā
扁嘴嘎嘎，想吃黄瓜。

huáng guā yǒu huā　　xiǎng chī jiǎo yā
黄瓜有花，想吃脚丫。

jiǎo yā zhēn chòu　　xiǎng chī máo dòu
脚丫真臭，想吃毛豆。

máo dòu zhēn xiāng　　xiǎng hē miàn tāng
毛豆真香，想喝面汤。

miàn tāng hú zuǐ　　xiǎng chī niú tuǐ
面汤糊嘴，想吃牛腿。

niú tuǐ yǒu máo　　xiǎng chī xiān táo
牛腿有毛，想吃鲜桃。

xiān táo yǒu húr　　xiǎng chī niú dú
鲜桃有核儿，想吃牛犊。

niú dú yí dèng yǎn　　xià de zài bù gǎn
牛犊一瞪眼，吓得再不敢。

# 生了白胡子

民间儿歌

一个小小子，

年纪刚十五，

不种庄稼不读书，

就出门去学打鼓。

打鼓怕使力，

就去学做犁。

做犁眼眼多，

就去学补锅。

补锅懒得铲，

就去学补碗。

补碗难钻洞，

就去学"关公"。

"关公"难打仗，

15

好玩的连锁调

就去学放羊。

放羊怕爬山，

又去学种田。

种田怕日晒，

去学做买卖。

买卖做不来，

去学当秀才。

秀才难教书，

又去学宰猪。

宰猪宰不死，

啊！生了白胡子。

# 孙悟空打妖怪
sūn wù kōng dǎ yāo guài

攀家信

唐僧骑马咚那个咚，
táng sēng qí mǎ dōng nà gè dōng

后面跟着个孙悟空。
hòu miàn gēn zhe gè sūn wù kōng

孙悟空，跑得快，
sūn wù kōng pǎo de kuài

后面跟着个猪八戒。
hòu miàn gēn zhe gè zhū bā jiè

猪八戒，鼻子长，
zhū bā jiè bí zi cháng

后面跟着个沙和尚。
hòu miàn gēn zhe gè shā hé shang

沙和尚，挑着箩，
shā hé shang tiāo zhe luó

后面来了个老妖婆。
hòu miàn lái le gè lǎo yāo pó

老妖婆，心最毒，
lǎo yāo pó xīn zuì dú

骗过唐僧和老猪。
piàn guò táng sēng hé lǎo zhū

唐僧老猪真糊涂，
táng sēng lǎo zhū zhēn hú tu

是人是妖分不清。
shì rén shì yāo fēn bù qīng

17

好玩的连锁调

fēn bù qīng，shàng le dàng
分不清，上了当，

duō kuī sūn wù kōng yǎn jing liàng
多亏孙悟空眼睛亮。

yǎn jing liàng，mào jīn guāng
眼睛亮，冒金光，

gāo gāo jǔ qǐ jīn gū bàng
高高举起金箍棒。

jīn gū bàng，yǒu lì liàng
金箍棒，有力量，

yāo mó guǐ guài xiāo miè guāng
妖魔鬼怪消灭光。

## 阅读聊吧

问题1

连锁调的儿歌有趣吗？你喜欢吗？

我喜欢这样的儿歌，像是在念顺口溜，读着读着就记住了。

同样是连锁调，但是"连锁"的方式不一样，《野牵牛》是一个连一个，一直往下接；《九十九座山》像在绕圈圈，回环往复；《孙悟空打妖怪》是根据《西游记》故事改编的。

连锁调有点像我们经常玩的词语接龙游戏。

问题2

你能根据"连锁调"儿歌的特点把下面这首儿歌补充完整吗？

### 做习题

民间儿歌

小调皮，做习题。

习题难，画小雁；

小雁飞，乌龟爬 ；

乌龟爬，小马跑 ；

小马跑，小猫叫 ；

小猫叫，吓一跳。

学文化，怕动脑，

看你怎么学得好！

问题3

其实，我们还可以用"连锁"这种方法编故事呢。

## 最大的动物

小蚂蚁对小鸡说："小鸡，小鸡，你长得真大。"

小鸡笑了，说："我不大，小猫比我大。"

小猫听了小鸡的话，笑着说："小鸡，你说得不对。我不大，小狗比我大。"

_____

_____

_____

_____

_____

**群文议题 ③**

# 有形状的"图像诗"

**导 语**

　　有的儿童诗不仅可以用来读，还可以用来"看"。一看，你会发现，有的诗像一个气球，有的诗像一列火车，有的诗像一把伞……有人管它叫图像诗。可你知道为什么诗人要把这些诗变成"有趣而美丽的图画"吗？答案就躲在这些小诗里！

# huǒ chē
# 火车

| huǒ huǒ huǒ | kuài kuài kuài | qì qì qì | dào dào xià |
|---|---|---|---|
| 火 火 火 | 快 快 快 | 气 气 气 | 到 到 下 |

| dū | dū | dū | |
|---|---|---|---|
| 嘟 | 嘟 | 嘟 | |

| chē chē chē | pǎo pǎo pǎo | qiáng qiáng qiáng | le le chē |
|---|---|---|---|
| 车 车 车 | 跑 跑 跑 | 强 强 强 | 了 了 车 |
| ○ | ○ | ○ | ○ |

# sǎn 伞

张贤坤

突然一把伞在面前闪着光辉，
那是妈妈的伞，
我抬起头来，
雨已停了，
感激地
喊着：
妈妈！

雨，
下着，
低着头，
赶快回家，
书包淋湿了，
衣服也不暖和，

# 钓 鱼

林武宪

鱼〇 很 快 乐〇

在 水 里〇 唱 歌〇

在 水 里〇 捉 迷 藏〇

在 水 里〇 吹 泡 泡 儿〇

〇〇〇〇〇〇〇〇〇〇〇〇


把 鱼 钓 起 来

钓 鱼 的 人 很 快 乐

他 不 知 道

水 里 有 鱼 的 眼 泪 ⋯⋯

# 瞌睡虫

陈木城

一条

瞌睡条

虫

徐徐缓缓慢慢爬进我的耳中！

老师的声音变得朦朦胧胧。

悄悄爬上眉尖额头和鼻孔。

老师请原谅我眼皮越来越重，

都爬满

瞌睡

虫

# 气 球

[加] 柯林·希伯度

像
球 般 大
如 太 阳 般 圆
……
当 你 跑 走 时
我 扯 拉 你
而 当 风 吹 起 时
我 轻 轻 地 说
紧
紧
紧
紧
紧
紧
紧
抓
住
我 。

## 阅读聊吧

你发现了吗？同样是图像诗，它们有什么差别呢？

我发现有些图像诗是文字排列很特别，有些是诗里加了一些符号。

我发现这些诗的外形往往和内容有关系呢！比如，小诗《瞌睡虫》，整首诗看上去就像一条瞌睡虫，真好玩！

我发现其实不全是这样，有的是在文字里穿插图形，比如《钓鱼》这首诗中，就是用圈圈组成了小鱼吐的泡泡呢，也很奇妙！

哈哈，原来小诗不仅可以用来读，还可以用来画画！这也是我的新发现呢！

27

有形状的「图像诗」

**问题2**

　　这里每一首诗都有形状。如果诗人把《伞》写成火车的形状，把《瞌睡虫》写成气球的形状，你觉得好吗？为什么？

**问题3**

　　上面这几首诗，有的像虫子在打瞌睡，呼噜呼噜；有的像奔跑的火车，咔嚓咔嚓；有的像逃跑的气球，摇摇摆摆……你想让它长什么样，它就能变成什么样。我们不妨也来创作一首吧。

# 和小动物说说话

导语

　　你与身边的小猫、小狗，甚至小鸟、小鱼说过话吗？你又是否听过它们对你说的话？仔细地听，静静地听，你一定听得见。

# 小鸟

小鸟，小鸟

你轻轻地跳，

我栽的小树，

它还太小太小。


小鸟，小鸟

你轻轻地跳，

可爱的小树，

它还在睡觉。


小鸟你轻轻地跳啊，

再轻一点儿，

好不好，

跳来跳去的小鸟。

# 鱼儿睡在哪里

[苏联] 伊·托克玛科娃/文　韦　苇/译

夜里很黑。夜里静悄悄。

鱼儿，鱼儿，你在哪里睡觉？

狐狸往洞里躲。

狗钻进了自己的窝。

松鼠溜进了树洞。

老鼠溜进了地洞。

可是，河里，水面，

哪儿也找不到你的身影。

黑咕隆咚的，静悄悄的，

鱼儿，鱼儿，你睡在哪儿？

和小动物说说话

# 雀儿

[意] 贾尼·罗大里/文　韦　苇/译

开开窗户吧，外头真冷呀，

幼儿园的小朋友哟，快开窗！

我是一无所有的可怜雀儿呀，

身上没有暖和的皮袄穿。


我昨儿个就看见了呀，

看见你们把枞树抬进了屋，

我看见你们在幼儿园里，

围着枞树跳跃又拍手。


我看到每棵枞树上，

挂满了数不清的果品，

我看到每根枞针上，

都闪耀着明亮的星星。

我数呀，数呀，数呀，

总数不清有多少点亮光！

就像童话里讲到的彩虹，

那般神奇啊，那般灿烂。


好心的小朋友啊，小朋友，

请让我飞进你们的幼儿园，

我把雀窝儿做在枞树里，

做在你们完全看不见的地方。


你们好玩儿的玩具真多哇！

挂满了枞树的上上下下，

瞧这是棉花絮儿做的白雪，

瞧这是硬纸板做的月牙！


我是一只懂事的雀儿啊，

我一点儿也不会贪心的，

我只想暖和暖和我的身子，

随你们的心给我吃点东西。

喂我的东西不用成堆成堆的，

我只是要一点儿饼干也就满足了呀，

就为这一点儿充饥的食物哟，

我多少次飞到你们窗外屋檐下。

开开窗户吧，外头真冷呀，

幼儿园的小朋友哟，快开窗！

我是一无所有的可怜雀儿呀，

身上没有暖和的皮袄穿。

# 收获
shōu huò

方素珍

动了 动了
dòng le　dòng le

鱼儿上当了
yú ér shàng dàng le

哈 和我的手掌一样大
hā　hé wǒ de shǒu zhǎng yí yàng dà

爸爸说
bà ba shuō

放了他吧
fàng le tā ba

鱼小弟年纪太小
yú xiǎo dì nián jì tài xiǎo


动了 动了
dòng le　dòng le

鱼儿被骗了
yú ér bèi piàn le

哇 比爸爸的手掌还要大
wā　bǐ bà ba de shǒu zhǎng hái yào dà

我也说
wǒ yě shuō

放了他吧
fàng le tā ba

鱼爸爸年纪太大
yú bà ba nián jì tài dà

和小动物说说话

哇哈哈　又动了

这次大概是

鱼妈妈

她要回家照顾鱼爸爸

她会想念鱼小弟

还是放了她吧


黄昏时

我们两手空空

轻轻松松

心里却装满了

鱼

满满在心中

# 阅读聊吧

## 问题 1

在前三首诗中，有的诗是“动物对人说话”，有的诗是“人对动物说话”。你能给前三首诗分分类吗？

| 动物对人说话 | 人对动物说话 |
| --- | --- |
| 雀儿 | 鸠 ✓鱼儿睡在哪里 |

## 问题 2

在《收获》这首诗里，鱼没有直接对人说话，但我们能感觉到他们有话想说。猜猜他们会说什么呢？

“鱼小弟”说：我太小了！

“鱼爸爸”说：我太大了！

“鱼妈妈”说：我要回家照顾爸爸！

## 问题 3

这几首诗的作者有一个共同点，你们觉得是什么？

这个首着qi来xiang钓鱼。

# 读古诗，想画面

一首诗，一幅画；一幅画，一首诗。下面这组古诗，用词非常简单，但是你慢慢读，停下来想一想，就能看到一幅幅非常美的图画。

# jiāng nán
# 江 南

汉乐府

jiāng nán kě cǎi lián
江 南 可 采 莲，

lián yè hé tián tián
莲 叶 何 田 田。

yú xì lián yè jiān
鱼 戏 莲 叶 间。

yú xì lián yè dōng
鱼 戏 莲 叶 东，

yú xì lián yè xī
鱼 戏 莲 叶 西，

yú xì lián yè nán
鱼 戏 莲 叶 南，

yú xì lián yè běi
鱼 戏 莲 叶 北。

读古诗，想画面

# 咏 雪
yǒng xuě

[明] 袁宏道

yí piàn liǎng piàn sān sì piàn
一 片 两 片 三 四 片，

sì piàn wǔ piàn liù qī piàn
四 片 五 片 六 七 片。

qī piàn bā piàn shí lái piàn
七 片 八 片 十 来 片，

fēi rù méi huā dōu bú jiàn
飞 入 梅 花 都 不 见。

# chūn yóu hú
# 春 游 湖

[宋] 徐 俯

shuāng fēi yàn zi jǐ shí huí
双 飞 燕 子 几 时 回 ？

jiā àn táo huā zhàn shuǐ kāi
夹 岸① 桃 花 蘸 水② 开 。

chūn yǔ duàn qiáo rén bú dù
春 雨 断 桥③ 人 不 度 ，

xiǎo zhōu chēng chū liǔ yīn lái
小 舟 撑 出 柳 阴 来 。

【注释】

① 夹岸：两岸。

② 蘸水：碰到了湖水。

③ 断桥：把桥面淹没了。

41

读古诗，想画面

# dēng shān
# 登 山

[明] 唐 寅

yí shàng yí shàng yòu yí shàng
一 上 一 上 又 一 上 ，

yí shàng shàng dào gāo shān shàng
一 上 上 到 高 山 上 。

jǔ tóu hóng rì bái yún dī
举 头 红 日 白 云 低 ，

wǔ hú sì hǎi jiē yí wàng
五 湖 四 海 皆 一 望 。

问题1

这几首诗都很特别，选择一首你喜欢的诗，边读边想边画，一幅美丽画卷就会展现在你的面前，赶紧试试吧。

问题2

四首诗中，哪首诗的画面让你最喜欢？

我很喜欢《江南》这首诗，"鱼戏莲叶"这几个字反反复复复用，我仿佛看到了鱼在池塘里、在莲叶间游来游去的样子，它们很快乐。

我觉得《咏雪》写得很有趣，用了很多表示数字的词，从一到十，好像雪下得越来越大，最后落到凌寒盛开的梅花枝头，雪花和梅花融合在一起了，非常美丽。

《登山》里的"一上一上又一上"真有趣，我爬过山，就是这样的感觉，觉得老是爬不到顶，爬一会儿歇一歇，爬一会儿歇一歇。

读古诗，想画面

# 一个都不能少

**导 语**

下面三个故事，两个是欧洲的，一个是中国的；有的发生在古代，有的发生在现代。但是这三个故事有一个共同点——都跟"数数"有关，数来数去还都数错了，这是怎么回事呢？

# 六个娃娃七个坑
liù gè wá wa qī gè kēng

[捷克] 艾·彼齐什卡/文　韦　苇/译

*Frank.*

一个大热天，七个小男孩由符兰齐克领头，来到河边。他们在沙滩上修道、筑碉堡。玩厌了，就扑通扑通往河里一跳。

他们在河里游呀，叫呀，白花花的水沫溅成一片。符兰齐克看了看伙伴，点起数来："一、二、三……"

他点了几遍，都只数出六个来。他着急地叫开了："喂，有谁淹进水里了？我们来的时候有七个，可现在只有六个了！"

孩子们慌起来，也都点起数来。"六个！只有六个！"他们一个跟着一个叫起来。

他们有的用树枝在河里捞，有的扎猛子到河里去摸，大叫大嚷，乱作一团。

符兰齐克在水里摸到个东西，就哇哇叫开了："在这儿哪！我抓住他啦！"

"抓牢他，别松手！"大伙儿拼命叫着，向符兰齐克游去。这时符兰齐克从水里拖出一只破皮靴。

"唉，这可怎么办呢？"孩子们急得呜哇呜哇哭起来。

河边有个打鱼的老伯，他看见了孩子们的慌乱，听见了孩子们的惊叫，就对他们说："你们上岸来。每个人在沙滩上坐个坑，再点个数。"

孩子们听了打鱼老伯的话，都到沙滩上坐了个坑。符兰齐克点了点坑："七个！不多不少，七个。"这时孩子们都乐了，欢喜得又蹦又跳。就这样，六个孩子一屁股坐出了七个坑。

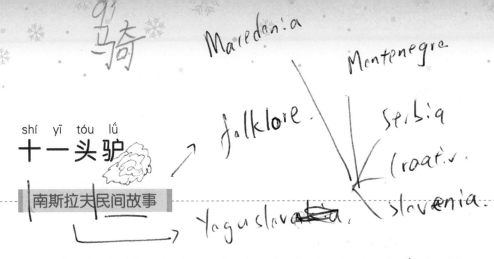

# 十一头驴
shí yī tóu lǘ

南斯拉夫民间故事

有一个生意人，从乡下赶了十头毛驴往城里去，九头驮货物，第十头自个儿骑着。

入城的时候，他数了一遍自己的驴子。

横数，竖数，左数，右数，总是少一头！

生意人急得要哭鼻子了。出发时明明有十头驴的，可这会儿怎么只有九头了？

这时，机智的艾罗正在这条路上走着。生意人问他："老哥，你没遇见我的一头驴吗？我的驴怎么数都数不够十头了。"

"你的驴原来有几头啊？"艾罗问。

"原来有十头呀，这会儿只有九头了，大概在路上掉了一头。"

zhè shí ài luó què duì tā shuō　　kě shì wǒ kàn jiàn de lú què yǒu
这时艾罗却对他说："可是我看见的驴却有

shí yī tóu
十一头。"

nǎr　　yǒu shí yī tóu ya　　nǐ xíng xing hǎo　　gěi wǒ shuō shuo
"哪儿有十一头呀？你行行好，给我说说

ba
吧。"

nǐ qián miàn yǒu jiǔ tóu　　dì shí tóu zài nǐ de xià bian　　zài jiā
"你前面有九头，第十头在你的下边，再加

shàng nǐ zì jǐ　　bú shì shí yī tóu ma
上你自己——不是十一头吗？"

# 包袱、雨伞、文书和我的故事

在很久很久以前，有个傻傻的差役。

一次，傻差役要去抓捕一个犯事的和尚，于是带上包袱、雨伞、枷锁还有抓捕和尚的文书上路了。很快，傻差役把逃跑的和尚给逮到了，并且给他戴上了枷锁。傻差役知道自己的记性不是很好，怕在路上把东西给丢了，就不停地在碎碎念：包袱雨伞枷，文书和尚我……

在回来的路途中，经过一个客栈。和尚说："歇歇吧，长途跋涉的，我快走不动了。"傻差役想："歇歇就歇歇吧，反正给和尚上了枷锁，逃也逃不了啦！"

于是傻差役与和尚来到了客栈歇息。

和尚叫了一桌的好菜好酒，说是要犒劳犒

劳差役。一炷香的工夫，傻差役醉得一塌糊涂，趴倒在桌上呼呼大睡。和尚见此情景，悄悄地找到枷锁的钥匙，解开了枷锁。接着，和尚找来了剃刀，给熟睡的傻差役剃了光头，换上了僧袍，还往他脖子上套了枷锁。

和尚溜了……

待傻差役醒来的时候，摸着身上的枷锁，望着眼前的包袱、雨伞和文书，还在碎碎念：

包袱雨伞枷，文书和尚我……

包袱在，雨伞在，枷锁在，文书也在，和尚呢？傻差役拍了拍光溜溜的脑袋：嘿！和尚不在这儿嘛……

那我呢？去哪儿啦？

## 阅读聊吧

三个故事里的主人公，数数总是数不清，你能帮他们找找原因吗？请完成下面的表格。

| 篇名 | 应该几个 | 数成几个 | 原因 |
|---|---|---|---|
| 《六个娃娃七个坑》 | 7 | 6 | 没有数自己，自己没有数， |
| 《十一头驴》 | 11 | 10 | 和尚走了。 |
| 《包袱、雨伞、文书和我的故事》 | 2 | 1 | |

问题2

七个小男孩、生意人、差役，他们数来数去，有人最后数清了，有人最终还是没数清，还有人傻傻地连自己也数了进去，反而多了。他们看着挺傻，但是却很有趣，像这样的故事你还听过哪些？和大家分享一下吧。

问题3

数数的时候，人容易忘记自己。这样的事，你是不是也经历过？再想想，还有什么时候人也容易把自己忘了？

51

一个都不能少

# 我们一起吹大牛

导语

有人问我："牛是怎么长大的?"我说："是吹大的。"又有人问我："牛能在天上飞吗?"我说："可以。吹牛,吹牛,牛不就在天上飞了吗?"哈哈,到底是谁把牛吹上了天? 读了下面的文章,你就知道了。

# 毛虫和蛾子

顾城

毛虫对蛾子说：

你的翅膀真漂亮。

蛾子微笑了，

是吗？

我的祖母是凤凰。

蛾子对毛虫说：

你的头发闪金光。

毛虫挺自然，

可能，

我的兄弟是太阳。

# 我要生起气来

[捷克] 奈兹瓦尔/文 韦苇/译

我要生起气来，

就一个人到非洲去。

我有一具木马，

我骑着它远远地跑掉。

在非洲，饿了我吃橙子。

妈妈，爸爸，奶奶，姥姥，

我一个也不想念，

要是我心里不好受，

我也不会哭，不会伤心。

非洲有很多蝴蝶，

它们一天高高兴兴的，

tā men huì fēi dào wǒ tóu shàng lái
它们会飞到我头上来，

gěi wǒ jiǎng gè zhǒng gè yàng de gù shi
给我讲各种各样的故事，

nà shēng yīn xiàng mèng    qīng qīng de
那声音像梦，轻轻的。

我们一起吹大牛

# 蛐蛐说大话

民间儿歌

墙头高，墙头低，墙旮旯儿有对蛐蛐，在那儿吹大气。

大蛐蛐说："昨儿个我吃了两只花不棱登的大老虎。"

小蛐蛐说："今儿个我吃了两只灰不溜秋的大毛驴。"

大蛐蛐说："我在南山爪子一抬踢倒了十棵大柳树。"

小蛐蛐说："我在北海大嘴一张吞了十条大鲸鱼。"

这两个蛐蛐正在吹大气，扑棱棱打东边飞来一只芦花大公鸡。

你看这只公鸡有多愣，它哆的一声吃了那只

<sub>xiǎo qū qu</sub>
小蛐蛐。

<sub>dà qū qu yí kàn shēng le qì　　tā zī yá lǔ xū yì shēn tuǐ</sub>
大蛐蛐一看生了气，它龇牙捋须一伸腿，

<sub>ài　　tā yě wèi le jī</sub>
唉，它也喂了鸡！

<sub>hā hā　　kàn tā hái chuī bù chuī dà qì</sub>
哈哈，看它还吹不吹大气！

我们一起吹大牛

6/29

ài chuī niú de guì zú
# 爱吹牛的贵族

德国民间故事

cóng qián yǒu gè guì zú hěn xǐ huan chuī niú kě shì cháng cháng bèi
从前有个贵族，很喜欢吹牛，可是常常被

bié rén jiē chuān yǒu yì tiān tā xiǎng gù gè pú rén cūn lǐ de yuē
别人揭穿。有一天，他想雇个仆人。村里的约

hàn tīng shuō le jiù lái zhǎo guì zú shuō tā yuàn yì dāng pú rén guì
翰听说了，就来找贵族，说他愿意当仆人。贵

zú jiù wèn tā huì bú huì chuī niú yuē hàn huí dá shuō dà ren rú
族就问他会不会吹牛，约翰回答说："大人，如

guǒ nǐ xū yào wǒ chuī niú de huà wǒ tǐng huì chuī
果你需要我吹牛的话，我挺会吹。"

guì zú shuō miào jí le wǒ chuī niú shí cháng cháng bèi bié rén
贵族说："妙极了。我吹牛时，常常被别人

jiē chuān nà shí nǐ jiù kě yǐ lái bāng wǒ de máng
揭穿，那时你就可以来帮我的忙。"

yì tiān tā men liǎ lái dào yì jiā jiǔ diàn guì zú zhào lì kāi shǐ
一天，他们俩来到一家酒店，贵族照例开始

chuī niú le tā shuō yǒu yí cì wǒ chū qù dǎ liè cóng bàn
吹牛了。他说："有一次，我出去打猎，从半

kòng zhōng dǎ xià sān zhī yě tù
空中打下三只野兔。"

tīng de rén dōu shuō zhè gēn běn bù kě néng
听的人都说："这根本不可能。"

guì zú jiù shuō nǐ men kě yǐ bǎ wǒ de chē fū zhǎo lái tā
贵族就说："你们可以把我的车夫找来，他

néng wèi wǒ zuò zhèng dà jiā zhǎo lái le chē fū guì zú duì tā shuō
能为我做证。"大家找来了车夫。贵族对他说

道："约翰，听着，我刚才对这几位先生说，我有一次从半空中打下三只野兔，现在你给他们讲讲，这是怎么回事。"

"好吧，大人。当时我们正站在草地上，只见一只野兔正跳过一片矮树丛。它正跳到半空时，你朝它放了一枪，把它打死了。后来，我们剖开野兔肚子时，发现里面还有两只小兔子。"他这么一讲，别人也就没什么可说了。

等大伙儿走开以后，约翰对贵族说："大人，以后你要再吹牛的话，就吹大地上的事，别吹到半空中去。"

问题1

　　毛虫、蛾子、生气的"我"、蛐蛐和贵族,你觉得谁吹牛最厉害?

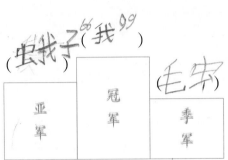

问题2

　　你发现了吗?《蛐蛐说大话》和其他几首诗有不一样的地方哦。你又是怎么看待这个"不一样"的呢?

问题3

　　生活中,如果你老是吹牛,你说的话就没人信啦。可是在诗歌、故事、相声里吹牛,会让人觉得特别有趣。不信,我们试试!

# 吹大牛

相　声

甲：我们家是吹牛世家！

乙：我们家还是吹牛专业户呢！

甲：我们家吹牛不纳税。

乙：我们家吹牛还不缴钱呢！

甲：不是吹，我一出生就会上厕所。

乙：那我三个月就会跑。

甲：三个月我妈就上班了，我只好奶奶家、姥姥家两头跑。

乙：那我 三个月就会上班了。

甲：我饭量大，我一顿饭能吃五碗面条！

乙：我饭量更大，我会吃十一个鱼飞！

甲：昨天晚上我发高烧啦！我高烧到六十七度。

乙：昨天晚上我也发高烧啦！我高烧到水 zhǔ 开了

甲：我个儿高！我头顶天，脚踏地，伸手能抓大飞机！

乙：我个儿比你高！我头比地 qiou 还要大！

甲：我能耐大，我这人能用耳朵看书。

乙：这算什么！我可以用手看书

甲：我经常用鼻子吃饭。

乙：那我能 耳朵吃饭

甲：行了行了，我们就不要吹了。

乙：这牛吹的，我们自己都难为情啦。

# 不一样的爸爸妈妈

**导语**

爸爸妈妈当然有相似的地方，他们对孩子的爱是一样的。但爸爸和妈妈也有不一样的地方，因为一个是爸爸，一个是妈妈。这一组诗或许就能让你感受到他们的不同。

# 爸爸的胡子

温立飞

爸爸的胡子像一片草，

嘴巴像池塘，

鼻子像一座山。

浓密的小草，

长满了山坡，

长满了池塘边。

不一样的爸爸妈妈

# 爸爸的鼾声

山飒

爸爸的鼾声

就像是山上的小火车

它使我想起

美丽的森林

爸爸的鼾声

总是断断续续的

使我担心火车会出了轨

咦

爸爸的鼾声停了

是不是火车到站了

# 爸爸的笑

陈木城

公司里的总经理正在接一通电话，

另外一通电话又响了，皱了一皱眉头。

唉，事情还真多，没个喘气的时候，

当他一低头，看见桌垫下儿子的照片，笑了。

餐厅里的厨师端出一道拿手好菜，

擦一擦手上的油渍，想到自己的女儿，

最喜欢吃这道菜了，都吃胖了，

掩不住心里的得意，开心地笑了。

汽车修护厂的师傅躺在车肚子下，

累得真想就这样闭上眼睛睡一觉。

不一样的爸爸妈妈

想到昨天晚上儿子骑在他肚子上玩，

又举起扳手敲敲打打起来，笑了。

垃圾车上的清洁工看见一只破狗熊，

想到家里的孩子，也玩坏了许多布偶。

孩子都已经念四年级了，真快呀！

抹一抹额头上的汗珠，笑着继续工作。

每个爸爸都一样，

想到自己的孩子便开心地笑了。

他们就在社会的每一个角落流汗，

他们是小孩心目中平凡而伟大的爸爸。

# 妈妈和太阳

屠再华

我闻到了，太阳的香气。

妈妈晒过的被褥，

晚上一打开来，

就有一股浓浓的太阳香！

妈妈洗干净的衣服，

早晨一打开来，

就有一股浓浓的太阳香！

太阳的香气，

香得默默无闻。

妈妈不是太阳，

可她也有一股浓浓的太阳香……

# 梦 中

王心远

梦中，

我把小手伸出来，

让它透透气。

梦中，

我把小脚踢出来，

让它散散步。

梦中，

我把小屁股钻出来，

让它乘乘凉。

梦中，

我一个喷嚏，

吓得妈妈跳了起来，

惊醒了。

kàn zhe wǒ de shuì xiàng
看着我的睡相，

mā ma xīn téng de bǎ wǒ de xiǎo shǒu　xiǎo jiǎo　xiǎo pì gu
妈妈心疼地把我的小手、小脚、小屁股，

yí gè yí gè cáng jìn nuǎn róng róng de bèi wō
一个一个藏进暖融融的被窝，

yú shì
于是，

xiāng tián de mèng yòu kāi shǐ le
香甜的梦又开始了。

# 妈 妈

林 良

晚上我上床

最后一眼

看到你在忙

天亮我醒来

睁开眼睛

看到你在忙

微笑的妈妈

你天天不睡觉吗

**阅读聊吧**

**问题1**

这一组诗里的诗人写爸爸时，写了爸爸的胡子、爸爸的鼾声、爸爸的笑。如果你写爸爸，你最想写爸爸的 爸爸的 大手 。

**问题2**

这一组诗里的诗人写妈妈时，写了妈妈做家务、妈妈给自己盖被子、妈妈的忙忙碌碌。如果你写妈妈，你最想写妈妈的 每天上班 。

**问题3**

毫无疑问，爸爸妈妈都是非常爱你的。你觉得爸爸妈妈对你的爱有什么不太一样的地方呢？

| 爸爸 | 妈妈 |
|---|---|
| 爸爸给我玩 | 妈妈买东西 |
| 爸爸给我读书 | 妈妈上班赚金钱 |
| 爸爸读书 | 妈妈玩遊戏（对） |
| 爸爸做饭 | 妈妈是黄大仙 |

不一样的爸爸妈妈

群文议题 **9**

# 勇气是什么

世界上总会有一些东西，让我们害怕，让我们紧张，让我们不敢面对……其实，这并不是什么丢脸的事情，重要的是，我们要慢慢学着不再害怕，学着鼓足勇气，就像下面这组故事里的小主人公那样。

# 床底下的妖怪

米吉卡

四、三、二、一，天黑了。

灿灿是第一次一个人睡觉，她的心里有点儿害怕——不，是非常害怕，她能听见自己的心像打小鼓一样：咚咚咚……

使劲把眼睛闭起来，假装自己已经睡着了，假装做了一个巧克力味道的梦……可这些一点儿也不管用，灿灿还是害怕得很，她甚至感觉到自己的身体在不听使唤地发抖，整张床好像也跟着抖起来了。

漆黑的夜里，总会发生什么不可思议的事吧？

灿灿颤抖得越来越厉害，一不留神从床上掉了下去。就在她准备扯开嗓门大哭一场的时候，她突然发现，自己的床依然抖个不停。

噢，那是一个有着棕色皮毛的大家伙！灿灿把床单撩起来的时候，看到他正趴在床底下不停地颤抖着。她用手戳了戳那个大家伙的皮毛，他瞬间停止了抖动，迟疑着把头转了过来。

"啊——"就在看到灿灿的一刹那，大家伙触电般地叫起来。灿灿被突如其来的叫声吓了一跳，飞快地跳到床上，用被子盖住了脑袋。估计那大家伙也被自己的叫声吓坏了，他使劲抱住头，抖得更厉害了。

当灿灿再一次好奇地向床底下张望时，正巧和大家伙同样好奇的眼神撞了个正着。他有着绿色的眼睛，亮闪闪的。

# 鳄鱼怕怕，牙医怕怕

[日] 五味太郎　上谊文化/译

一条鳄鱼长蛀牙了，去看牙医。鳄鱼在心里对自己不停地说："我真的不想看到他，但是我非看不可。"而诊所里的牙医也在想："我真的不想看到他，但是我非看不可。"

鳄鱼看到牙医吓得叫出了声："啊！"牙医看到鳄鱼吓得叫出了声："啊！"

鳄鱼坐在诊所的椅子上，心里想："我好害怕。"牙医拿起了牙钻，心里想："我好害怕。"

鳄鱼对自己说："我一定要勇敢。"牙医对自己说："我一定要勇敢。"

鳄鱼张大了嘴巴，心里想："我做好最坏的打算了。"牙医把手伸进了鳄鱼的嘴巴，心里想："我做好最坏的打算了。"

鳄鱼被牙钻钻痛了，叫了声："哎哟！"牙医的手被鳄鱼的嘴咬痛了，叫了声："哎哟！"

鳄鱼捂着嘴巴，心想："这是件多么可怕的事。"牙医捂着手腕，心想："这是件多么可怕的事。"

鳄鱼又张大了嘴巴，心想："再坚持一下……"牙医又把手伸进了鳄鱼的嘴巴，心想："再坚持一下……"

总算是补好了，鳄鱼给牙医行了个礼："多谢您啦！明年再见。"牙医给鳄鱼还了个礼："多谢您啦！明年再见。"

可走出诊所的鳄鱼却在想："我明年真的不想再见到他……"牙医在窗口看着鳄鱼也在想："我明年真的不想再见到他……"

# 雷公糕

[美] 派翠西亚·波拉蔻/文　王　玲/译

望着地平线，外婆深深地吸了口气："看来暴风雨要来了，是个烤雷公糕的天气。"

"孩子，快从床底下出来，你听到的只不过是雷公的声音罢了。"外婆说。

轰隆一声巨响，震动整个房子，窗户也嘎嘎一阵喧响。我紧紧抱住外婆。

"别慌张，孩子，"她轻声说，"你可以在看到闪电后，开始数数，听到雷声后停止。你数的数目表示暴风雨离这里的里数。我们必须赶在暴风雨到达之前，把做好的蛋糕送进烤箱，否则它就不是实实在在的雷公糕喽！"

"现在，我们必须找齐所有的材料。"她大声说着，向后门走去。

勇气是什么

当一道巨大的闪电划过远方的天空时，我按外婆说的开始数："1、2、3、4、5、6、7、8、9、10——"

雷公开始咆哮。"还有十里路。"外婆望着天空说道，"孩子，先把蛋收齐。"

蛋要从啄人的老母鸡那儿取，我好害怕。

闪电又出现了。"1、2、3、4、5、6、7、8、9——"我数着。

"九里远哦！"外婆提醒我。

接下来是牛奶，必须从会踢人的老蛮牛那儿取。外婆给它挤奶时，它满怀恶意地看着我，我简直要吓死了。

闪电嗖嗖地飞过。"1、2、3、4、5、6、7、8——"我数着。

哐啷——啷——啷！雷声响起。"还有八里，孩子！"外婆大声说着，"现在，我们要到小仓库那边，拿巧克力、糖、面粉。"

当我爬进小仓库时，一个锯齿状的闪电划过天空。"1、2、3、4、5、6——"我数着。

噼啪，噼啪！咔——砰砰砰！雷公大声怒吼，天地间变得异常昏暗，我怕极了。

"剩下的时间不多了。"外婆站在门口，柔声说，"我们还差三个番茄和一些草莓。"

我爬到高高的棚架上摘了三个美味的番茄，外婆采了一些草莓。闪电又来了！"1、2、3、4、5——"我数着。

咔——嚓，砰砰砰——嚓嚓！雷公怒吼着。

我们赶紧回家，跑进厨房，做蛋糕。

闪电照亮厨房，我只数到3，雷声就轰隆隆地响起来了。"还有三里，"外婆说，"蛋糕已经放在烤箱里了！"

等待蛋糕烤好的这段时间，外婆看着我说："啊，你真勇敢，一点也不怕打雷！"

雷雨的轰隆隆越来越近。这时，闪电划

过，照亮了整个天空。最后一道闪电消失之前，雷声已滚滚而来，哐 哐 哐，砰隆砰隆，噼里啪啦！暴风雨来了。

倾盆大雨落在屋顶。当雷公在我们头顶上努力嘶吼，撼动门窗，并使碗柜里的碗盘发出嘎嘎声时，我们只是笑了笑，继续吃雷公糕。

从那以后，我就再也不怕打雷了。

# 魔奇魔奇树

[日] 齐藤隆介/文　彭　懿/译

从来没有人像豆太那样，那么胆小，半夜从来不敢一个人去上厕所。

他说，厕所在屋外啊，屋外有一棵魔奇魔奇树，站在那里，树的头发遮住天空，沙沙地晃来晃去，而且，他的两只手还会哇地张开。

魔奇魔奇树，是豆太起的名字。

白天，豆太可以站在树下，用一只脚踩着地，盛气凌人地叫。可是一到晚上，豆太就不行了。只要魔奇魔奇树朝着豆太看，豆太就会尿不出来，所以一定要和他相依为命的爷爷陪着，给他讲故事。不这样，豆太就不尿。不尿，第二天一早，床上就会像是闹过一场水灾那样。

那一天，爷爷说："每到阴历的十一月二十日，半夜两三点，魔奇魔奇树就会起火。就是今天晚上，起来看看，很漂亮的。我小时候曾经看过，你死去的爸爸也看过。每次只有一个勇敢的小孩可以看到这样的庆典。"

"那，我是不可能看到的。"豆太哭丧着脸，用很小的声音说。既然爷爷爸爸都看过了，他当然也想看。可要在冬天的夜里，一个人出去看魔奇魔奇树，那是不可能的。豆太钻进被窝，早早地睡了。

半夜，豆太突然睁开眼睛，因为他听到头顶上传来熊的叫声。"爷爷！"豆太拼了命想要抓紧爷爷，可是，爷爷却不在旁边。"豆太，不要担心，爷爷……爷爷只是肚子疼。"在黑暗中，像熊一样把身体抱成一团，在一旁呻吟的，原来是爷爷。

"爷爷！"豆太吓坏了，他冲向爷爷。爷爷

突然倒向榻榻米，发出越来越大的呻吟。

我得赶快去叫医生！豆太用身体把门撞开，拔腿跑了起来。

豆太穿着睡衣，打着赤脚，朝着半里外的山脚下跑。

外面是满天的星斗，月亮也出来了，山坡路上铺了一层雪一样的霜。豆太边哭边跑，因为他觉得又痛又冷又害怕，可是这些都比不上爷爷死掉更可怕。

年老的医生爷爷听完豆太的话，便用背巾背起医药箱和豆太在深夜中爬坡。走到半路，雪竟然在月光中飘落。这是今年冬天第一次下雪。

来到小屋前面，豆太看见了另一个奇观：魔奇魔奇树全都是火光！

这时，医生说："啊！那是冬青树后面刚好有月亮出来，树枝与树枝之间正好有星星在闪闪发亮，再加上飘雪了，看起来就像点了灯一样。"医生说完就走进小屋。

第二天早上，爷爷的肚子不疼了。

医生走了以后，爷爷说："你看到魔奇魔奇树上全都是火光了。你已经是一个勇敢的小孩了。可以一个人三更半夜去找医生，真不简单。以后，再也不要说自己是胆小鬼了。人，只要有一颗善良的心，遇到事情时，就会勇往直前。这时，旁边的人看了都会感到惊讶的。"

虽然如此，豆太还是在爷爷病好的那个夜里叫着"爷爷"，要爷爷带他去小便。

# 勇气

[美] 伯纳德·韦伯/文　阿 甲/译

勇气有很多种，有的令人敬畏，有的平平常常。

总之，不管哪一种——勇气就是勇气。

勇气，是你第一次骑车不用安全轮。

勇气，是你有两块糖，却能留一块到第二天。

勇气，是让别人离你小弟弟远点。

勇气，是晚上由你负责查看房间里的动静。吱吱！咣当！啪！砰！啊！滴答！滴答！

勇气，是刚搬到新地方，你大方地说："嘿，我的名字叫伟利。你们呢？"

勇气，是吃蔬菜时不做鬼脸，先尝尝再说。

勇气，是读侦探小说时不先翻到最后几页，偷看"到底是谁干的"。

勇气，是和别人吵架后你先去讲和。

勇气，是你知道个大秘密，却答应对谁也不说。

勇气，是改掉坏习惯。

勇气，是在别人都特别严肃的时候，你突然想起一个好傻的笑话，却能忍住不傻笑。

勇气，是爱花，却不摘它。

勇气，是不开灯就上床睡觉。

勇气，是你决定去理个发。

勇气，是努力藏起你小气、嫉妒的一面。

勇气，是你坐车游览到风景最好的地方时，你被挤在中间。

勇气，是解释你的新裤子怎么弄破的。

勇气，是再来一次。

勇气，是知道还有高山，就一定要去征

服它。

勇气，是上探太空，下探深海。

勇气，是小草从冰雪下破土而出。

勇气，是从头开始。

勇气，是坚持自己的梦想。

勇气，是立志做一名消防员，或者是一名警察。

勇气，是必要时说声再见。

勇气，是我们相互给予的东西。

**问题1**

　　读完上面的故事，你一定知道故事中的人物害怕什么了，把它们填写在下面的表格里。

| 故事中的人物 | 他/她/它的害怕 |
|---|---|
| 灿灿 | 大家伙 |
| 鳄鱼 | 牙医 |
| 牙医 | 鳄鱼 |
| 小女孩(《雷公糕》) | 雷公 |
| 豆太 | 晚上 |

**问题2**

　　《雷公糕》里的小女孩后来不怕雷声了，《魔奇魔奇树》里的豆太后来不怕天黑了。你有过类似的经历吗？当时你是如何克服的？

| 害怕什么 | 害怕表现 | 克服方法 |
|---|---|---|
| 虫子 | 叫爸爸 | 打虫子 |

《勇气》里也有好多害怕的事，但他们最终都不再害怕，这就是勇气。而对于灿灿、鳄鱼、牙医、小女孩和豆太来说，他们的勇气又是什么呢？你能不能接着往下写？

勇气有很多种。有的令人敬畏，有的平平常常。

总之，不管哪一种——勇气就是勇气。

灿灿说："勇气，是 一个人睡觉 。"

鳄鱼说："勇气，是 看牙医 。"

牙医说："勇气，是 把手伸进鳄鱼的嘴 。"

小女孩说："勇气，是 不害怕闪电 。"

豆太说："勇气，是 不开灯就上床睡觉 。"

我说："勇气，是 不害怕虫子 。"

勇气是什么

# 大个子和小个子

**导语**

　　生活中，有的人个头大，坐在教室最后一排；有的人个头小，坐在教室第一排。有的人想做大个子，有的人想做小个子。这组故事里的人物也是这样，这是一组关于"大个子和小个子"的故事。

# 大个子和小不点

[美] 艾诺·洛贝尔/文　朱自强/译

从前，有一只个子很高的老鼠，还有一只个子很矮的老鼠，他们是好朋友。

两只老鼠见面的时候，大个子老鼠总是这样打招呼："哎，小不点。"

于是，小不点也这样打招呼："哎，大个子。"

这两个朋友常常一起去散步。

散步时，大个子说的是："哎，小鸟，你们好！"

小不点说的是："哎，独角仙，你们好！"

两个朋友走过院子的时候，大个子说："哎，花朵，你们好！"

小不点说："哎，树根，你们好！"

从屋子旁边走过时，大个子说："哎，屋

顶，你好！"

小不点说："哎，地下室，你好！"

有一天，两个朋友遇上了大雨，大个子说："哎，雨点儿，你好！"

小不点说："哎，水坑，你好！"

为了躲雨，两个朋友跑进屋子里，大个子说："哎，天棚，你好！"

小不点说："哎，地板，你好！"

不一会儿，大雨停了。两个朋友跑到窗户边。

大个子想让小不点看看窗外的景色，就把小不点举了起来。

这时，两个好朋友一齐这样说："哎，彩虹，你好！"

# 做大狗好还是做小狗好

[俄] 乌萨乔夫/文 韦 苇/译

小狗索尼娅站在儿童广场上，它想："我是做大狗好还是做小狗好呢？"

"有时候是大些好……当然是大些好。"索尼娅想，"我长得大大的，就连猫也得怕我，所有的小狗都得怕我，连过路人看见我一个个都提心吊胆的……"

"有时候又是小些好。"索尼娅想，"因为你小，谁都不用怕你，谁看着你都不用提心吊胆的，这样谁都会跟你玩。要是你是条个儿大大的狗，那就一定得给你拴上铁链子，还得把你的嘴给套起来……"

"请您告诉我，"索尼娅很有礼貌地问大狼狗马克斯，"您嘴巴被套起来那会儿，您心里一

大个子和小个子

定很不愉快吧？"

索尼娅的问题让大狼狗顿时火冒三丈。只见它怪可怕地唔唔叫着，要挣脱牵狗链冲过来……它猛一下撞倒它的女主人，向索尼娅直追过来。

"喂——喂——喂！"

索尼娅听着身后传来的唔唔声，吓坏了。

于是，它想："还是做大狗好！"

幸好，前面不远处有一个幼儿园，索尼娅就从幼儿园篱笆的一个小洞里吱溜一下钻了进去。

大狼狗马克斯个儿太大，不能跟着钻过篱笆洞，只好在篱笆外头呼哧呼哧大声喘气，就跟火车头一样响……

"到底还是做小狗好，"小狗索尼娅想，"要是我的个儿大大的，怎么也不可能一跳就从一个小小的洞里钻过来。"

"可如果我的个儿很大很大，"它又想，"那

me wǒ yòu cóng dòng lǐ zuān guò lái gàn má ne
么我又从洞里钻过来干吗呢？"

bú guò yīn wèi suǒ ní yà de gèr xiǎo suǒ yǐ tā zuì hòu hái
不过，因为索尼娅的个儿小，所以它最后还

shì rèn wéi zuò xiǎo gǒu hǎo
是认为做小狗好。

dà gǒu yǐ wéi zuò dà gǒu hǎo nà jiù ràng tā qù nà yàng yǐ wéi
大狗以为做大狗好，那就让它去那样以为

ba
吧！

# 骆驼和羊

中国寓言故事

骆驼长得高，羊长得矮。骆驼说："长得高好。"羊说："不对，长得矮才好呢。"骆驼说："我可以做一件事，证明高比矮好。"羊说："我也可以做一件事，证明矮比高好。"

他们走到一个园子旁边。园子四面有围墙，里面种了很多树，茂盛的枝叶伸出墙外来。骆驼一抬头就吃到了树叶。羊抬起前腿，扒在墙上，脖子伸得老长，还是吃不着。骆驼说："你看，这可以证明了吧，高比矮好。"羊摇了摇头，不肯认输。

他们俩又走了几步，看见围墙有个又窄又矮的门。羊大模大样地走进门去吃园子里的草。骆驼跪下前腿，低下头，往门里钻，怎么也钻不进去。羊说：“你看，这可以证明了吧，矮比高好。”骆驼摇了摇头，也不肯认输。

他们去找老牛评理。老牛说：“你俩都只看到自己的长处，看不到自己的短处，这是不对的。”

# 你很快就会长高

[英] 安琪雅·薛维克/文　余治莹/译

阿力是一个小男孩。他的个子很小，学校里的同学都叫他"矮冬瓜"，姐姐的朋友们都喜欢拍拍他的头说："嘿，小可爱。"

阿力不喜欢自己的小个子，他每天都想长高，连做梦都梦到自己长高了。

"妈妈，怎样才会长高啊？"阿力问。

"蛋白质！"妈妈说，"每一餐都吃含有蛋白质的食物，你很快就会长高的，阿力。"

整整三个星期，阿力一直吃鱼、蛋、鸡肉、奶酪和烤豆子，每天喝八杯牛奶。

可是没有用，他一点儿也没长高。

"爸爸，怎样才会长高啊？"阿力问。

"运动！"爸爸说，"多做运动，常常拉胳

膊和拉腿，你很快就会长高的，阿力。"

整整三个星期，阿力每天都绕着花园跑步，不断地跳高和跳绳。爸爸还帮他做了一部特别的伸展机器，阿力每天上学前，都会用它来拉胳膊和拉腿。

可是没有用，他一点儿也没长高。

"老师，怎样才会长高啊？"阿力问。

"读书！"老师说，"要读很多书，做很多算术，你很快就会长高的，阿力。"

阿力在学校里用功读着每一本书，还努力地做算术。爸爸、妈妈和老师都为他感到骄傲："他真是一个聪明的男孩。"

可是没有用，他一点儿也没长高。

忽然，他想到一个办法："我可以问问叔叔！"叔叔长得高，是阿力见过的最高的人。

"你很想长高，是吧？"叔叔说，"我先告诉你，长得高会碰到什么麻烦。"

"首先，如果你长得很高，就塞不进车子里，每次都要被挤得扁扁的。"叔叔说。

难怪叔叔开车都歪歪扭扭的。

"再有，每次进门的时候，你都要记得低下头。"

难怪叔叔的额头上经常碰出肿包。

"还有，你不容易买到合身的衣服。"

难怪在寒冷的冬天，叔叔还穿着短裤呢！

"也许长得像你这么高，不是一件好事。"阿力说，"不过，我还是希望个子不要这么小。"

"你一点儿也不小！来，告诉你一个秘密。"叔叔弯下腰在阿力的耳朵边小声说话，"不要只想让个子长高，要内心长大才对……"

从那一天起，阿力照着叔叔的话去做所有的事。每天早上，给爸爸、妈妈和姐姐一个拥抱，每天给同学们讲一个叔叔说的笑话；对着镜子里的自己微笑。

<ruby>你<rt>nǐ</rt></ruby><ruby>知<rt>zhī</rt></ruby><ruby>道<rt>dào</rt></ruby><ruby>发<rt>fā</rt></ruby><ruby>生<rt>shēng</rt></ruby><ruby>了<rt>le</rt></ruby><ruby>什<rt>shén</rt></ruby><ruby>么<rt>me</rt></ruby><ruby>事<rt>shì</rt></ruby><ruby>吗<rt>ma</rt></ruby>？<ruby>叔<rt>shū</rt></ruby><ruby>叔<rt>shu</rt></ruby><ruby>的<rt>de</rt></ruby><ruby>方<rt>fāng</rt></ruby><ruby>法<rt>fǎ</rt></ruby><ruby>有<rt>yǒu</rt></ruby><ruby>用<rt>yòng</rt></ruby><ruby>了<rt>le</rt></ruby>！

<ruby>阿<rt>ā</rt></ruby><ruby>力<rt>lì</rt></ruby><ruby>不<rt>bú</rt></ruby><ruby>再<rt>zài</rt></ruby><ruby>是<rt>shì</rt></ruby><ruby>最<rt>zuì</rt></ruby><ruby>小<rt>xiǎo</rt></ruby><ruby>的<rt>de</rt></ruby><ruby>男<rt>nán</rt></ruby><ruby>孩<rt>hái</rt></ruby>，<ruby>他<rt>tā</rt></ruby><ruby>变<rt>biàn</rt></ruby><ruby>成<rt>chéng</rt></ruby><ruby>了<rt>le</rt></ruby>——<ruby>最<rt>zuì</rt></ruby><ruby>快<rt>kuài</rt></ruby><ruby>乐<rt>lè</rt></ruby><ruby>的<rt>de</rt></ruby><ruby>男<rt>nán</rt></ruby><ruby>孩<rt>hái</rt></ruby>！

101

**阅读聊吧**

问题1

这四个故事都是关于"大个子和小个子"的，你能根据这四个故事说出"大个子"的三个好处，再说出"小个子"的三个好处吗？

"大个子"的好处：

(1) 猫怕我

(2) 可以看很远

(3) 一抬头就吃到树叶

"小个子"的好处：

(1) 会钻进小小的洞里

(2) 可以进小门里

(3) 谁都跟你玩

问题2

你发现了吗？上面四个故事中的人物面对"大个子和小个子"问题时，他们的看法也是不一样的。你又是怎么看的呢？

大个子 我可以看God

骆驼认为大个子好,羊认为小个子好,他们都只看到自己的长处,看不到自己的短处。

阿力一开始想长高,认为大个子好,但是后来他的想法变了,认为快乐是最好的。

我发现,索尼娅个儿小,所以它最后还是认为做小狗好。

问题3

填出下列词的反义词。你能选择其中一组,自己编一个故事吗?

胖—瘦　　　　　快—( 慢 )

黑—( 白 )　　　美—( 丑 )

多—( 少 )　　　( 男 )—( 女 )

大个子和小个子

下编

# 让舌头打结的绕口令

导语

　　小朋友，我们一起来玩一个唇齿游戏："四和十，十和四，十四和四十，四十和十四……"舌头和牙齿开始打架了吧？这就是绕口令，又称"急口令""吃口令"，它的有趣之处就在于读起来拗口。

mén hòu yǒu gè pén
# 门后有个盆

民间儿歌

mén hòu yǒu gè pén
门后有个盆，

pén lǐ yǒu gè píng
盆里有个瓶。

pīng lōng pāng lāng yì shēng xiǎng
乒隆乒啷一声响，

pén pèng píng píng pèng pén
盆碰瓶， 瓶碰盆，

yě bù zhī shì pén pèng píng
也不知是盆碰瓶，

hái shì píng pèng pén
还是瓶碰盆。

qiǎo qiao hé xiǎo xiao
# 巧巧和小小

民间儿歌

qiǎo qiao guò qiáo zhǎo sǎo sao
巧巧过桥找嫂嫂，

xiǎo xiao guò qiáo zhǎo lǎo lao
小小过桥找姥姥。

qiǎo qiao qiáo shàng pèng zhe xiǎo xiao
巧巧桥上碰着小小，

xiǎo xiao yuē qiǎo qiǎo qù zhǎo lǎo lao
小小约巧巧去找姥姥，

qiǎo qiao yuē xiǎo xiao qù zhǎo sǎo sao
巧巧约小小去找嫂嫂，

xiǎo xiao        qiǎo qiao tóng qù zhǎo lǎo lao        sǎo sao
小小、巧巧同去找姥姥、嫂嫂。

109

让舌头打结的绕口令

# 妞妞赶牛

民间儿歌

妞妞赶牛河边走，

牛牛要吃河边柳，

妞妞赶牛牛不走，

妞妞护柳扭牛头，

牛牛扭头瞅妞妞，

妞妞扭牛牛更拗，

牛牛要顶小妞妞，

妞妞捡起小石头，

吓得牛牛扭头走。

## huà fèng huáng
# 画凤凰

民间儿歌

fěn hóng qiáng shàng huà fèng huáng
粉 红 墙 上 画 凤 凰，

xiān huà yí gè hóng fèng huáng
先 画 一 个 红 凤 凰，

zài huà yí gè huáng fèng huáng
再 画 一 个 黄 凤 凰，

huáng fèng huáng shàng miàn huà shàng hóng
黄 凤 凰 上 面 画 上 红，

hóng fèng huáng shàng miàn huà shàng huáng
红 凤 凰 上 面 画 上 黄，

hóng fèng huáng biàn chéng le hóng huáng fèng huáng
红 凤 凰 变 成 了 红 黄 凤 凰，

huáng fèng huáng biàn chéng le huáng hóng fèng huáng
黄 凤 凰 变 成 了 黄 红 凤 凰，

fěn hóng qiáng shàng fēn bù qīng
粉 红 墙 上 分 不 清，

nǎ gè shì hóng fèng huáng
哪 个 是 红 凤 凰，

nǎ gè shì huáng fèng huáng
哪 个 是 黄 凤 凰。

让舌头打结的绕口令

# 八十八只八哥鸟

民间儿歌

八十八老爷家门口有八十八枝大毛竹，有八十八只八哥要求到八十八老爷家门口八十八枝大毛竹上筑八十八个八哥窝。

八十八老爷不同意八十八只八哥在他家门口八十八枝大毛竹上筑八十八个八哥窝，八十八只八哥苦苦哀求八十八老爷开恩，答应它们在八十八枝大毛竹上筑八十八个八哥窝。

# 阅读聊吧

读一读上面的绕口令，你喜欢吗？它们有什么特点？

我发现绕口令中有好多字都是反复出现，比如巧巧、小小、妞妞、凤凰、八十八等。

读好绕口令可真不容易，稍不留神舌头和牙齿就会打架。有时我会把"盆"和"瓶"读错，有时又会把"妞"和"牛"读错……不过，即使读错了，我们也很快乐，因为读绕口令就是在做声音的游戏。

我觉得如果常说绕口令，肯定能使舌头更加灵活，说起话来更流畅，语言表达能力也一定能提高。

绕口令有趣活泼，读起来节奏感强，很有音乐效果。

### 问题 2

找一找哪些字你总是读错，反复读几遍，从慢到快，你就会越读越好。课间假日，茶余饭后，和朋友、家人说上几段有趣的绕口令，那可是一件很快乐的事。

### 问题 3

像这样好玩的绕口令还有很多很多，有的还被改编成歌曲了呢，比如《中国话》。试着收集更多好玩的绕口令，和小伙伴们比一比看谁说得又快又好玩。

# 他们藏哪儿了

捉迷藏游戏，相信你一定玩过。一个藏，一个找，看谁藏得好，看谁找得着。咦，诗中那些调皮的小家伙，他们藏哪儿了呢？你能帮忙找找吗？

# 捉迷藏

圣 野

小妹妹跟风

捉迷藏

小妹妹问风

藏好了没有

待了好一会儿

没有听风说话儿

小妹妹就从墙角后

跳出来找风

找来找去找不到

忽然嘻的一声

风在一棵树上笑起来了

有一片树叶子没站稳

给风一笑

掉下来了


小妹妹连忙跳过去

把树叶子捉住，问它：

风呢？

叶子红起脸孔说：

我也不知道！

他们藏哪儿了

# 蟋蟀

赵宗宪

蟋蟀和我捉迷藏

蟋蟀躲在墙角里

我找来找去找不到

一赌气

我就不再找了

蟋蟀看见我变了脸

就连连叫着

我告诉你我在这里

还不行吗？

# 藏好了吗

[日] 金子美铃/文　吴　菲/译

——藏好了吗？

——还没呢！

在枇杷树下，

在牡丹丛里，

捉迷藏的孩子们。

——藏好了吗？

——还没呢！

在枇杷树枝间，

在绿绿的果实里，

小鸟和枇杷果。

119

他们藏哪儿了

——藏好了吗？

——还没呢！

在蓝天外，

在黑土里，

夏天和春天。

## 捉迷藏

谢武彰

黑夜用长长的手帕，把太阳的眼睛蒙起来了。颜色们赶快找一个自己喜爱的地方，静悄悄地躲了起来。

黄色躲在菊花里；白色躲在云朵里；蓝色躲在天空里；红色躲在玫瑰里；绿色太多了，挤不下，有的躲在树叶里，有的躲在小草里。

大家都躲好了，黑夜就把手帕解开。太阳睁开眼睛，一下子就把颜色们都找出来啦！

他们藏哪儿了

问题 1

这组诗文都跟捉迷藏有关，分别是谁和谁在捉迷藏呢？我们来理一理。

| 诗文 | 谁和谁捉迷藏 |
| --- | --- |
| 《捉迷藏》 | 小妹妹跟风捉迷藏 |
| 《蟋蟀》 | 蟋蟀跟我捉迷藏 |
| 《藏好了吗》 | 孩子们鸟和枇杷果 夏天和春天 |
| 《捉迷藏》 | 太阳跟颜色们 |

问题 2

"蟋蟀""小鸟""枇杷果"，这些东西看得见摸得着，说它们躲起来玩捉迷藏我们还能理解。"风""颜色""夏天""春天"，这些事物看不见摸不着，它们怎么会捉迷藏呢？你读懂上面的诗文了吗？

问题 3

捉迷藏嘛，就是你藏我找，读这样的诗文自然也要两个人读才有意思。找你的好朋友一起读一读，读出捉迷藏的感觉来。

# 关于蝴蝶和花的诗

## 导语

　　花是不会飞的蝴蝶，蝴蝶是飞起来的花，树叶是一群蝴蝶，妹妹是一只花蝴蝶……多么美妙的画面！让我们一起走进花和蝴蝶的世界，做一只快乐的花蝴蝶、一朵美丽的蝴蝶花。

# 小小蝴蝶小小花

朱晋杰

小小蝴蝶小小花，
快快乐乐来玩耍；
一个开在春风里，
一个飞在阳光下。

两个朋友在一起，
两个名字不分家；
一个名叫花蝴蝶，
一个名叫蝴蝶花。

像蝴蝶的花

# 蝴蝶·豌豆花

郭枫

一只蝴蝶从竹篱外飞进来，

豌豆花问蝴蝶道：

"你是一朵飞起来的花吗？"

关于蝴蝶和花的诗

# 树叶蝴蝶
shù yè hú dié

民间儿歌

qiū fēng qiū fēng chuī chuī
秋风秋风吹吹，

shù yè shù yè fēi fei
树叶树叶飞飞，

jiù xiàng yì qún hú dié
就像一群蝴蝶，

zhāng kāi chì bǎng zhuī zhui
张开翅膀追追。

# 捉蝴蝶

胡的清

妹妹想要一只花蝴蝶，

哥哥带她去野外，

兜了一大圈，

蝴蝶的影儿也没见到。


妹妹泄气了，

赖在地上不肯走。

哥哥一把举起她：

"哇，我捉了好大一只花蝴蝶！"

关于蝴蝶和花的诗

## 美丽的蝴蝶花

民间儿歌

你看那边有一只小小花蝴蝶，

我悄悄地走过去想要抓住它。

为什么蝴蝶不害怕？

为什么蝴蝶不害怕？

哟，

原来是一朵美丽的蝴蝶花。

# 蝴蝶飞
hú dié fēi

金波

追，追，
zhuī　　zhuī

蝴蝶飞。
hú dié fēi

飞远啦，
fēi yuǎn la

不见啦，
bú jiàn la

飞过竹篱笆，
fēi guò zhú lí ba

变成一朵花。
biàn chéng yì duǒ huā

关于蝴蝶和花的诗

## 阅读聊吧

问题 1

这组诗中，有的有蝴蝶，有的没有蝴蝶。请在下表中填一填。

| 有蝴蝶的诗 | 没有蝴蝶的诗 |
| --- | --- |
| 蝴蝶飞 蝴蝶·豌豆花 小小蝴蝶小小花 | 树叶蝴蝶 捉蝴蝶 美丽的蝴蝶 |

问题 2

这组诗中，不管有没有蝴蝶，都有像蝴蝶一样的事物。在诗人眼里，他们为什么像蝴蝶呢？

| 诗 | 像蝴蝶的事物 | 像蝴蝶的原因 |
| --- | --- | --- |
| 《小小蝴蝶小小花》 | 花 | 因为像一只蝴蝶 |
| 《蝴蝶·豌豆花》 | | |
| 《美丽的蝴蝶花》 | | |
| 《蝴蝶飞》 | | |
| 《树叶蝴蝶》 | 树叶 | 就像一群蝴蝶 |
| 《捉蝴蝶》 | 小妹妹 | 因为妹妹像蝴蝶爱 |

问题 3

发挥想象力，你觉得哪些事物像星星呢？你能围绕你的想象写一首小诗吗？

# 诗歌中的比喻与拟人

把一个事物比作另一个相似的事物，叫比喻；把一个事物当成人来写，叫拟人。用上比喻和拟人的手法，我们一读就能知道它们长什么样，非常形象。细细读一读这组诗，诗中的比喻与拟人，妙极了！

# 鞋

林武宪

我回家，把鞋脱下

姐姐回家，把鞋脱下

哥哥、爸爸回家

也都把鞋脱下

大大小小的鞋

是一家人

依偎在一起

说着一天的见闻

dà dà xiǎo xiǎo de xié
大 大 小 小 的 鞋

jiù xiàng dà dà xiǎo xiǎo de chuán
就 像 大 大 小 小 的 船

huí dào ān jìng de gǎng wān
回 到 安 静 的 港 湾

xiǎng shòu jiā de wēn nuǎn
享 受 家 的 温 暖

# 拉链

陈木城

天空，有一件蓝蓝的夹克
飞机飞过去——
把白色的拉链拉上了

大地，有一件绿色的外套
火车来来去去
把拉链拉上又拉下

我们家，是一件温暖的大衣
爸爸妈妈吵架时
把拉链拉开了
淘气的弟弟跑跑跳跳
把拉链轻轻地拉上

# 时 间

林智敏

上课时

时间是一个跛子

一拐一拐地走着

下课时

时间又变成了赛跑选手

呼

冲了过去

诗歌中的比喻与拟人

# 雨 天

[日] 横山直美

今天又是
下雨天，
在校园里
开满了伞花，
红色、蓝色、绿色的雨伞，
一直排着队到校门口，
好像朵朵花
在小河里游。

# 阅读聊吧

## 问题1

上面四首诗，诗人分别把什么想象成什么？它们哪儿比较像呢？你喜欢这样的想象吗？

| 诗 | 诗人的想象 | 相似点 |
|---|---|---|
| 《雨天》 | 把雨伞想象成朵朵花。 | 雨伞撑开，形状像花，颜色也多姿多彩，很像。 |
| 《鞋》 | 把鞋想象成大大小小的船 | 回到安静的港湾享受家 |
| 《拉链》 | 飞机飞过后白色气体象拉链 | 因为飞机画的气体 |
| 《时间》 | 时间象跛子又象蜗牛 | 上课时间很慢，玩的时侯很快 |

诗歌中的比喻与拟人

我喜欢这样的想象，雨伞和花很像很像，读起来很形象，很美。

哈哈，上课时，我也觉得时间走得太慢了，像跛子，也像蜗牛。

其实，这些鞋就代表着爸爸、妈妈、哥哥、姐姐和我，像极了！

**问题2**

细读这些诗，我不仅觉得它们像，而且还能读出诗人的感情来，比如《鞋》让我读出了家的温暖，《雨天》让我读出了诗人喜欢下雨等。你读出了什么呢?

**问题3**

诗中用上比喻和拟人，有味道多啦! 发挥你的想象力，你能接着往下编吗?

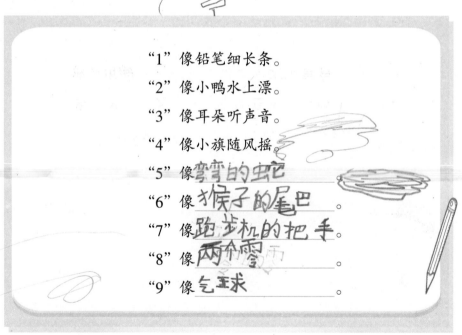

"1"像铅笔细长条。

"2"像小鸭水上漂。

"3"像耳朵听声音。

"4"像小旗随风摇。

"5"像弯弯的蛇

"6"像猴子的尾巴

"7"像跑步机的把手

"8"像两个雪

"9"像气球

# 发生在黑暗中的故事

**导语**

很多小朋友，不怕高，不怕脏，不怕毛毛虫，就是怕黑：乌黑乌黑的，一点儿光都没有，伸手不见五指，太吓人了。但是，很多故事就是发生在晚上的，就是发生在黑暗里的。

# 一个黑黑、黑黑的故事

[美] 露丝·布朗/文　敖　德/译

从前，有一片黑黑、黑黑的荒野。

荒野上，有一片黑黑、黑黑的树林。

树林里，有一座黑黑、黑黑的房子。

房子的正面，有一扇黑黑、黑黑的门。

门后面，有一个黑黑、黑黑的厅。

厅里面，有一段黑黑、黑黑的楼梯。

楼梯上面，有一条黑黑、黑黑的走廊。

走廊的尽头，有一块黑黑、黑黑的帘子。

帘子后面，有一个黑黑、黑黑的房间。

房间里，有一个黑黑、黑黑的橱柜。

橱柜里，有一个黑黑、黑黑的角落。

角落里，有一个黑黑、黑黑的盒子。

盒子里，有……一只老鼠！

# 吃掉黑暗的怪兽

[英] 乔伊斯·邓巴/文　彭倩文/译

球球睡不着。他不喜欢黑漆漆的床底下，那里说不定躲了一只怪兽……

嗯……这一回……还真的有哦！一只好小、好小的怪兽小得连看都看不清楚。但是，这只怪兽觉得身体里有一个好大、好大的洞让它老是觉得好饿好饿，饿得不得了！

它试着咬了一小口床底下的毛拖鞋。呀，难吃死了！它啃了一口玩具车。哎哟！牙齿好痛！接着它发现了一个好东西，是个盒子。它从盒子上的小洞往里面看，看到里面装满了黑暗。它把黑暗从盒子里吸出来，吸得一点儿也不剩。太好吃啦！

怪兽稍稍变大了一点点。但它还是觉得好

饿。它看看四周，想再找些东西吃。

它发现，床底下有一大片黑暗。它一口气把这些黑暗全部都吃光光。怪兽又变大了一些，但它还是觉得好饿。于是，它把藏在柜子里的黑暗吃光光，又把窗帘褶皱里的黑暗吃了个精光。

怪兽越变越大，越变越大。但它还是觉得好饿，于是，它就从球球的家里溜了出去……

它到别人家里去找更多的黑暗。它发现地窖里、阁楼上和烟囱下，全都装满了黑暗。它把这些黑暗全都吃掉，舔得干干净净。

它还发明了一些新奇有趣的吃法。它把黑洞洞的黑暗果酱抹在烤焦的面包片上。它好喜欢这种黑黑的三明治。

它最喜欢吃井里黑漆漆的水熬的浓汤，还有用水沟里黑不溜秋的泥煮的炖菜。

接下来它找到了兔子窝——把里面的黑暗全都

吃了个精光。还有狐狸洞——啊，真是世间美味！

然后它又找到了一个大山洞。里面的黑暗多得不得了，它把这些黑暗一块一块挖出来，一口一口啃干净。

但是，它还是觉得好饿好饿。它把森林里还能找到的所有的黑暗吃得一点儿也不剩，再把火山坑底的黑暗全部吞下肚。

虽然怪兽变得越来越大，越来越大……但它还是觉得好饿。它以为，它已经把世上所有的黑暗都吃光了，然后，它看到夜晚来了。

唉，真是没法说，它又一口气将夜晚的黑暗全部吞下去！它一股脑儿把月亮周围的黑暗吃光，让月亮不再闪闪发光；它又把星星周围的黑暗全都吃光，令星星也不再亮晶晶。

现在已经完全找不到一丁点儿黑暗了。没有黄昏，没有黎明，没有阴影，也几乎没有梦了。到处都是光，又强又刺眼的光。怪兽坐在一个寂寞的星球上，觉得非常忧伤，因为它没有黑暗可以吃了。它望着地球，地球看起来非常明亮，但是也非常忧伤。

这下子，没有了黑暗，猫头鹰就不会在夜晚醒来。它们睡了好久，又睡得好沉，睡到不停地从树上摔下来。萤火虫根本懒得出门，反正也没人看得见它们。猫咪的眼睛不再闪闪发亮，它们失去了迷人的风采。刺猬因为亮得刺眼看不清东西，老是撞到一起。狐狸没头没脑地扑向大石头。本来应该倒挂的蝙蝠，竟然直挺挺地站在树上。熊也感到很难过，不晓得到底发生了什么事。

然后怪兽听到从遥远的地方传来一阵奇怪的声音。一个叫球球的小男孩哭得好大声。他睡不着，所以大哭。但他为什么会睡不着呢？因为实在太亮了。

虽然怪兽的身体已经变得好大好大，肚子

里的黑暗也撑得它好胀好胀，但它还是挤得进狭小的空间，钻得过窗户的缝隙，甚至可以从盒子里的小洞穿过去。

它悄悄溜回球球的卧室，发现球球正哭着找妈妈。可是妈妈因为外面太亮了，只好把头蒙在唯一还有一点点黑暗的棉被底下，根本听不到他的哭声。

怪兽突然做了一件好奇妙的事情。它用又大又黑的双臂，把球球抱进怀里。球球觉得滑溜溜的，又柔软又舒服。球球很快就睡着了。怪兽也睡着了。怪兽现在一点儿也不饿了，也不再觉得身体里有一个空空的大洞。它把球球安安稳稳地抱在怀里，呼噜呼噜睡得好香好甜。

在它打呼噜的时候，所有的黑暗慢慢地从它身体里面流出来，一点一滴回到原来的地方。最后，怪兽也慢慢变回原来的大小。一个小小的、快乐的小不点，躺在一个小男孩的怀里，呼呼大睡！

# 静悄悄的夜晚

[美] 乔纳森·宾/文 萧 萍、萧 晶/译

看哦，夜来了，静悄悄地来了。弟弟睡了，妹妹也睡了。

爸爸妈妈来到门口轻轻地说："晚安，亲爱的，做个好梦！"

然后，他们也去睡了。

黑乎乎的夜，就剩她一个人……

在黑乎乎的房间里躺着。

她瞪大眼睛——

这就是夜的声音吗？温暖的呼吸声，唔，那是爸爸妈妈发出的。

这就是夜的声音吗？香甜的呼吸声，嘿，那是弟弟妹妹发出的。

这难道就是夜吗？她支棱着耳朵，独自躺

着，怎么也睡不着哟！

呀，那到底是什么呢？悄悄的、麻酥酥的——原来是一阵微风！

从窗子那儿飘进来，真正夜晚的微风哦！

多么顽皮的风啊，一会儿潜伏在地上，一会儿又荡过她的脚尖……接着又穿过房间、门、楼梯……她就这么悄悄地紧跟着它。

带上松软的枕头，带上可爱的床单，带

上暖和的大毯子，她随着调皮的微风，一点一点往上走啊，走啊……

嘿，天台！微风一下子融入了夜色，哎呀，多么美好的瞬间啊。

远远望去，这就是她生活的地方啊，她的城市，她的家，还有她的小床。

唔，这才是真正的夜晚啊！

她想拥抱身边的一切，空气、树叶，还有大大的世界！哦，真是一个可爱的拥抱呀！她出神地望着天空，慢慢地，慢慢地，闭上了眼睛。

就这样，她睡着了，在这个静悄悄的夜晚……

# 讨厌黑夜的席奶奶

[美] 凯利·杜兰·瑞安/文　林　良/译

何镇附近的山区里，住着一位老太太，人家叫她席奶奶。

她讨厌蝙蝠、讨厌猫头鹰、讨厌鼹鼠、讨厌田鼠、讨厌蛾子、讨厌星星、讨厌黑影、讨厌睡觉，连月光她也讨厌，说来说去，她讨厌的就是黑夜。

席奶奶对她那只老猎狗说："要是我能把黑夜赶出何镇，太阳就能永远照着我的小茅屋。真不懂为什么从来就没有人想过要把黑夜赶走。"她用小树枝扎了一把扫帚，要扫掉茅屋里和何镇山区上面的黑夜。她又扫、又扒、又拨又挥的，但是每次向窗外一看，黑夜还是在那里，就像天花板上扫不干净的灰尘。

席奶奶拿出缝针来，把麻布缝成一个结结实实的麻布袋，看看能不能把黑夜装在里面，拿到何镇山区外面去倒掉。

她又装又填、又压又塞的，蹑手蹑脚地连一个黑影也不放过，还是没办法把黑夜全都塞进麻布袋里。

席奶奶把最大的一口锅搬出来搁在火堆上，打算把黑夜煮成汤。她舀起来看，搅搅看、炖炖看，等水开再看看，尝一口看看，扔进火里烧烧看，就是没法子把黑夜煮化了。

席奶奶弄来一些藤蔓，想把黑夜结结实实捆成一捆。她想："带到市场上，说不定有人买。"可是她捆不住黑夜。

席奶奶像剪羊毛似的去剪黑夜，但是从天上掉下来的只是一些云。

她把黑夜扔给躺在破布堆上的老猎狗，但是老猎狗吃不下去。

她把黑夜塞进床上的草垫里，但是黑夜又跳了出来。

她把黑夜沉在屋后的井里，但是黑夜又冒出水面来。

她用蜡烛去烧黑夜，但是黑夜又溜到屋外去了。

席奶奶给黑夜哼催眠曲，拿一碟牛奶去浇黑夜，对黑夜挥拳头，把黑夜放在烟囱里熏，用脚踩黑夜，用手打黑夜，挖土坑要埋黑夜。

但是黑夜理都不理她。席奶奶冷冷地哼了一声说："我才不理你呢！"就转过身去，不理黑夜了。

那个时候，太阳爬上了何镇山区的山顶。但是席奶奶为了跟黑夜拼命，已经累得无心享受白天的快乐了。

她安静下来，在铺草垫的床上睡着了，等黑夜再回到何镇，她到时候就又有力气好好地跟它干一场了。

阅读聊吧

问题1

在我们原有的印象中，发生在夜晚、发生在黑暗中的故事是令人害怕的。上面四个发生在黑暗中的故事给你留下了什么印象呢？

《静悄悄的夜晚》中的夜晚是温暖的、香甜的、美好的……

在《吃掉黑暗的怪兽》这个故事里，黑暗竟然是可以吃的，把黑暗吃完了，天就亮了，有意思。

《讨厌黑夜的席奶奶》中的席奶奶用扫帚扫黑夜，用麻布袋装黑夜，用锅把黑夜煮成汤，用藤蔓把黑夜捆成一捆……方法千奇百怪，无奇不有，聪明可爱，哈哈。

读《一个黑黑、黑黑的故事》的时候，感觉就像跟着一个人小心翼翼地在黑暗里走，心里慌慌的，最后却只发现一只小老鼠，虚惊一场，好玩好笑。

问题2

上面这组黑暗故事有的非常有创意，如果让你来编创一个跟黑暗有关的故事，你会怎么编呢？

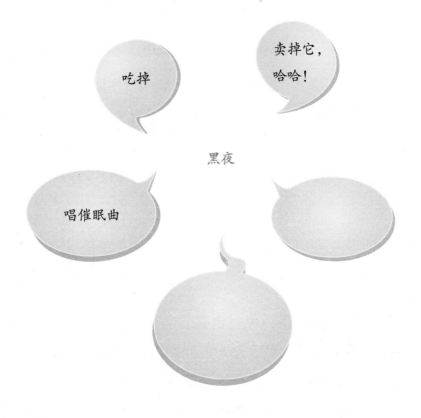

黑夜

吃掉

卖掉它，哈哈！

唱催眠曲

如果这个世界上没有黑夜，只有白天，你喜欢吗？为什么？

发生在黑暗中的故事

群文议题 **16**

# 猜猜它是谁

　　猜谜语，你肯定喜欢啦！下面这组诗，我们把题目藏了起来，你能猜出它们是什么吗？你又是怎么猜出来的呢？记得把你的猜谜妙招与大家分享哦！

[唐] 李 峤

jiě luò sān qiū yè
解 落 三 秋 叶，

néng kāi èr yuè huā
能 开 二 月 花 。

guò jiāng qiān chǐ làng
过 江 千 尺 浪，

rù zhú wàn gān xié
入 竹 万 竿 斜 。

猜猜它是谁

_____

李昆纯

qīng cǎo chí táng lǜ yīn yīn
青草池塘绿茵茵，

xiǎo xiǎo shēn zi mò jīng jīng
小小身子墨晶晶，

yì wān wān　　yí piàn piàn　　yì qún qún
一湾湾，一片片，一群群。


niǔ niǔ bǎi bǎi
扭扭摆摆，

zài yóu chūn
在游春，

duō xiàng wǔ xiàn pǔ shàng tiào dòng de huān yīn
多像五线谱上跳动的欢音。

kuài xiè qù wěi ba　　jì shàng lǜ qún
快卸去尾巴，系上绿裙，

dài míng rì
待明日——

dào huā shēn chù　　shí lǐ wā shēng
稻花深处，十里蛙声。

wǒ xǐ huan nǐ men
我喜欢你们——

yì shuāng jī ling de yǎn jing
一双机灵的眼睛，

fěn hóng de ěr duo
粉红的耳朵，

suī rán ài zuò huài shì
虽然爱做坏事，

kě wǒ hái shì xǐ huan nǐ men
可我还是喜欢你们。

rú guǒ wǒ dào le nǐ men de wáng guó
如果我到了你们的王国，

yí dìng yào nǐ men
一定要你们

xǐ liǎn xǐ shǒu xǐ zǎo shuā yá
洗脸、洗手、洗澡、刷牙。

hái yào jiāo huì nǐ men
还要教会你们

zì jǐ láo dòng
自己劳动，

zuò shì bú yào tōu tōu mō mō
做事不要偷偷摸摸。

wǒ hái yào gěi nǐ men
我 还 要 给 你 们

jiè shào gè péng you
介 绍 个 朋 友 ——

tā de míng zi jiào māo
它 的 名 字 叫 猫 。

wǒ tuó zhe wǒ de xiǎo fáng zi zǒu lù
我驮着我的小房子走路，

wǒ tuó zhe wǒ de xiǎo fáng zi pá shù
我驮着我的小房子爬树，

màn màn de　màn màn de
慢慢地，慢慢地，

bù jí yě bù huāng
不急也不慌。

wǒ tuó zhe wǒ de xiǎo fáng zi lǚ xíng
我驮着我的小房子旅行，

dào chù qù bài fǎng
到处去拜访，

bài fǎng nà hé huā duǒ hé xiǎo cǎo men qīn zuǐ de tài yáng
拜访那和花朵和小草们亲嘴的太阳。

wǒ yào wèn wen tā
我要问问他：

wèi shén me tā bú zhào jìn wǒ de xiǎo fáng zi ne
为什么他不照进我的小房子呢？

林焕彰

tā men de gē ér hěn hǎo tīng
它们的歌儿很好听，

kě shì yào dào xià tiān cái chàng
可是要到夏天才唱；

tā men xǐ huan zàn měi
它们喜欢赞美

jīn sè de yáng guāng
金色的阳光。

tā men de gē ér hěn hǎo tīng
它们的歌儿很好听，

kě shì tā men zhǐ ài zài shù shàng chàng
可是它们只爱在树上唱；

suǒ yǐ yí dào le xià tiān
所以，一到了夏天，

shù dōu biàn chéng le
树都变成了

huì gē chàng de sǎn
会歌唱的伞。

问题1

你猜出来它们是谁了吗？你是怎么猜出来的呢？

| 诗 | 它是谁 | 我的依据 |
|---|---|---|
| 第1首 | | |
| 第2首 | | |
| 第3首 | | |
| 第4首 | | |
| 第5首 | | |

问题2

你看，把题目藏起来，边读边猜是不是很好玩？你也可以让你的爸爸妈妈和小伙伴来猜一猜，分享彼此的猜谜妙招。

问题3

像这样的诗，你还读过哪些？或者你也来编一首，让大家猜猜它是谁，注意要把事物的颜色、形状、用途、特征等形象地描述出来哦！

**答案：**

《风》《蝌蚪》《致老鼠》《蜗牛》《蝉》。

# 读懂古诗中的颜色

导语

　　画家肯定是喜欢色彩的，他们把色彩涂抹在白纸上，让人们感受到美。其实诗人也是喜欢色彩的，他们把色彩写进诗里，表达自己的情感。

# jué jù sì shǒu qí sān
# 绝句四首(其三)

[唐] 杜 甫

liǎng gè huáng lí míng cuì liǔ
两个黄鹂鸣翠柳，

yì háng bái lù shàng qīng tiān
一行白鹭上青天。

chuāng hán xī lǐng qiān qiū xuě
窗含①西岭②千秋雪③，

mén bó dōng wú wàn lǐ chuán
门泊东吴④万里船⑤。

【注释】

① 窗含：窗口对着雪山，好像口含一样。

② 西岭：泛指岷山，在成都西。

③ 千秋雪：指岭上终年不化的积雪。

④ 东吴：今浙江一带，古代为吴国领地。

⑤ 万里船：来去江南的船只。万里，指行程远。

读懂古诗中的颜色

# 山行
### shān xíng

[唐] 杜 牧

yuǎn shàng hán shān shí jìng xié
远 上 寒 山① 石 径 斜②，

bái yún shēng chù yǒu rén jiā
白 云 生 处 有 人 家 。

tíng chē zuò ài fēng lín wǎn
停 车 坐③ 爱 枫 林 晚④，

shuāng yè hóng yú èr yuè huā
霜 叶⑤ 红 于 二 月 花 。

【注释】

① 寒山：深秋季节的山。

② 斜：弯弯曲曲。

③ 坐：因为，由于。

④ 枫林晚：傍晚时分的枫林。

⑤ 霜叶：枫树的叶子历经深秋寒霜之后变成了红色。

# 晓<sup>①</sup>出净慈寺<sup>②</sup>送林子方

[宋] 杨万里

毕竟<sup>③</sup>西湖六月中，
风光不与四时<sup>④</sup>同。
接天莲叶无穷<sup>⑤</sup>碧，
映日荷花别样<sup>⑥</sup>红。

**【注释】**

① 晓：早晨。

② 净慈寺：杭州西湖旁的著名佛寺。

③ 毕竟：到底。

④ 四时：四季，这里泛指夏季以外的三季。

⑤ 无穷：无边无际。

⑥ 别样：分外，格外。

读懂古诗中的颜色

# 天净沙①·秋

[元] 白 朴

孤村落日残霞，

轻烟老树寒鸦②，

一点飞鸿影下③。

青山绿水，

白草④红叶⑤黄花⑥。

**【注释】**

① 天净沙：曲牌名。

② 寒鸦：天寒归林的乌鸦。

③ 飞鸿影下：秋雁从天空飞过，投下影子。

④ 白草：牧草名，秋天成熟时呈白色，冬天枯而不萎。

⑤ 红叶：枫叶。

⑥ 黄花：菊花。

问题 1

青、绿、白、红、黄……上面的诗词里色彩丰富。你能把有关颜色的词语圈出来吗？

问题 2

想一想，你读过的诗词中是否也有写到色彩的？试着搜集一些，然后比较一下，哪两种颜色在诗词里出现的次数比较多？

| 诗句 | 颜色 | | | | |
|------|------|------|------|------|------|
| 一点飞鸿影下。青山绿水,白草红叶黄花。 | 青 | 绿 | 白 | 红 | 黄 |
| 鹅,鹅,鹅,曲项向天歌。<br>白毛浮绿水,红掌拨清波。 | | 绿 | 白 | 红 | |
| 远上寒山石径斜,白云生处有人家。<br>停车坐爱枫林晚,霜叶红于二月花。 | | | 白 | 红 | |
| 接天莲叶无穷碧,映日荷花别样红。 | | 绿（碧） | | 红 | |
| 在一片死灰中,走过两个孩子,一个鲜红,一个淡绿。 | | 绿 | | 红 | |

问题 3

你在诗中读到红色、绿色的时候，是一种什么感觉？

群文议题 **18**

# 这个世界为什么要有规则

**导语**

　　生活中处处有规则，比如交通规则、游戏规则、比赛规则等。这个世界为什么要有规则？如果没有统一的规则，大家想怎样就怎样，世界会变成什么样呢？一起来读读下面这组文章，或许你能找到答案。

# 十一只小猫做苦工

[日] 马场登　唐彦/译

今天的天气真好啊，十一只小猫排着队一起出门去旅游。花园里开满了鲜花，里面还插着一块大牌子——"禁止摘花"。花太美了，十一只小猫心里真痒痒。"喵呜，喵呜，只摘一朵没关系吧？"十只小猫都这么说。只有队长拼命反对："不行，不行！"最后，每只小猫还是各摘了一朵插在头上。花真美，连队长也忍不住摘了一朵。

十一只小猫走到一座吊桥前，那里也竖着一块大牌子——"危险，禁止通行！""喵呜，喵呜，没关系的，大家一起走，就不害怕啦！"于是十一只小猫一起走过了吊桥。

前面是一棵大树，树上也有一块大牌子哟——"禁止爬树"。这大概也没关系吧？十一

这个世界为什么要有规则

只小猫噌噌噌爬上了树，吃起了点心。

嗯？不远处有一个好大的袋子，旁边还压着一张字条，上面写着"禁止钻进袋子里"。好奇怪的袋子，比爬上树吃点心有趣多了呢！"喵呜，喵呜，捉迷藏喽！"十一只小猫全都钻进了大袋子。

"呜嘿嘿，啊哈哈！小猫全都被我抓到了！"原来这是怪兽呜嘿啊哈的圈套！他飞快地跑过来，扎紧大口袋，扛起就跑。呜嘿啊哈住在山上的城堡里，他要建一个运动场，罚小猫做苦工。可怜的小猫们，白天做苦工，晚上还要被关在铁笼里。

小猫们想了个好办法逃走。第二天，他们兴高采烈地做苦工，呜嘿啊哈看了觉得很奇怪，于是他对小猫们说："你们走开！让我来试一试。"他从小猫的手里夺过绳子，自己拉了起来。"嗯，真快活呀！呜嘿啊哈！呜嘿啊哈！"十一只小猫趁机溜走了。

"坏了，猫儿们跑到哪里去了……"呜嘿啊哈在城堡里找啊找……台阶的最上面有一只木桶，旁边写着："禁止进入木桶！"

"啊，猫儿们肯定藏在里面！"呜嘿啊哈扑通一声跳进了木桶里。这时，墙头上冒出了十一只小猫，"快！一齐上！"小猫们抱着长长的棍子向木桶撞去，呜嘿啊哈咕噜咕噜滚下了台阶，从山上掉下去了。"成功啦！我们终于干掉他啦！""呜呼——"

十一只小猫下山回家了。"太好了！太好了！""大家只要齐心协力，就没有什么办不到的事情。""喵呜喵呜——""不过想想还是挺吓人的。"十一只小猫走到宽宽的马路边，"啊，这里又竖了一块大牌子！"小猫们都停下来了，"禁止穿行！"

这次，十一只小猫没有横穿马路，看，他们正在过天桥呢！

# 要是我不遵守规则

[法] 碧姬·拉贝/文　王　恬/译

一天，菲卢一家出远门。妈妈说："我感觉你开得有点快了，亲爱的。"

"别担心，"爸爸回答，"我又没超过限速，再说这路上没人，视野开阔，路面也是干的，我还能再开快一点儿呢。"

"对啊，爸爸，再开快一点儿吧，加速！"菲卢在后座大叫。

"也不能太快。速度是有限制的，我们不能超速行驶。"爸爸解释道。

"可是，爸爸你看，现在这里又没有警察，快点，加速吧！"菲卢一再坚持。

爸爸从后视镜里看了菲卢一眼，妈妈也转过头去看他。

"这可不行，我的小菲卢。来，你听我们说吧。"

说到这里，爸爸妈妈还有点焦虑不安的样子。

哎呀，又来了！菲卢一点儿也不喜欢。

"小菲卢，交通规则就是交通规则，"爸爸说，"即便没有警察，也要遵守规则。"

"反正没人看见，你管他呢！"菲卢说。

"菲卢，你以为我是怕警察才遵守规则的吗？"

"当然啦，"菲卢提醒爸爸，"你知道，他们会给你戴上手铐，把你关进监狱的。"

"哦，你这是什么想法？国家有法律，只要我遵纪守法，警察就不会拿我怎么样，再说了，他们也不会随便把人关进监狱。"

"可……如果你不怕他们，为什么非得遵守这些规则呢？"菲卢不解地问。

哎呀，这下糟了！爸爸和妈妈更加不安了，他们相互望了一眼。

"小菲卢，"爸爸说，"你看到前面那辆绿车了吧。你试想一下，如果现在有一只小鹿突然蹿上马路，那个司机肯定要急刹车。"

"这里怎么会有小鹿呢？"菲卢问。

"有啊，就在路边的树林里。要是我开得太快，来不及刹车——'砰'！我们的车就会撞到前面那辆车，发生严重的车祸。而我要是以正常的速度行驶，就会有足够的反应时间，把车刹住。"

"我想看鹿！我想看鹿！"菲卢叫起来。

"说不定，我们很快就会看到一只。"妈妈微笑着说，"可是现在你得好好听爸爸讲话！"

爸爸接着解释："比如交通规则，它不是为了为难我们才制定出来的，而是为了保护我们。只要大家都遵守交通规则，那我们在路上开车就会安全多了。"

妈妈也跟着解释："小菲卢，奶奶家屋后不是有一块写着'禁止骑自行车'的牌子吗？那也不是故意为难你的，而是为了保护你，因为在那条路上骑自行车非常危险。"

"好了，我懂了，慢一点儿吧，爸爸！"菲卢把脸紧贴着车窗说，"这样说不定我们就能看见鹿爸爸和小鹿们了。"

"好吧，好吧，不说了，我们晚点再谈这个问题。"爸爸长叹了口气。

晚上，菲卢跑回自己的房间，打开窗户。他就知道，哲学鸟飞罗在那里！

"晚上好，菲卢！今天在外面玩得怎么样呢？不过，你好像没让爸爸妈妈把话说完哦。"

"可是我连一只鹿都没看到，这太不公平了！"

"你在找借口吧？来跟我说说晚上吃饭的时候，谁来摆餐具端菜上饭？"

"那要看情况。星期一，是我。星期二，是哥哥。星期三，是姐姐。星期四，又轮到我。然后是哥哥，接着再是姐姐。"

"那就是定了规矩啦？"

"对啊，爸爸还写了值勤表，用透明胶把它贴在冰箱门上呢。有时候，我真想把纸撕下来，我看着它就觉得不舒服。"

"是吗？那没有值勤表时的情形，你还记得吗？"

"我们老是吵架，因为没有人愿意干这些活儿，爸爸妈妈可烦了。"

"那你是喜欢没有值勤表没规则，还是喜欢有值勤表有规则的时候呢？"

菲卢想了想，说："我还是喜欢有规则的时候。"

"为什么？"飞罗问。

"以前，我打不过哥哥，他力气大，就强迫我替他干活儿。现在，他不这样了，爸爸妈妈也不用再大喊大叫了。"

"太好了！这就解释了人类为什么要制定规

章制度：就是为了避免一切都由身强力壮的人说了算。人类有了法律法规，行事就不能光凭力气了。"

菲卢思考了一下，说："那能说了算的，是法律吗？"

飞罗想了想，说："对啊！这就是为什么所有人都要遵守法律的原因。"

菲卢还在思考法律、规则和规章制度。他从来没想过这些东西竟然能让大家共同生活得更好。等一会儿，爸爸来给他讲睡前故事，妈妈来给他晚安吻的时候，他还会有很多话要跟他们讲，还有许多问题要问呢。

菲卢很想和飞罗再说一会儿话，可飞罗得走了，很多窗户都打开了，其他小朋友也在等着它。

"明天见，飞罗！"

"明天见，菲卢！"

# 规则

[英] 卡西·迈尔、夏洛特·纪尧姆/文　吕　进/译

遵守规则，就是按正确的方式做事。

遵守规则，让人与人之间变得平等。

当你在发言之前举起手时，你就是一个遵守规则的人。

当你想用伙伴的东西，征求伙伴的同意时，你就是一个遵守规则的人。

当你在游戏之前，认真了解游戏规则时，你就是一个遵守规则的人。

当你得到别人的允许，才去做一些事时，你就是一个遵守规则的人。

当你和伙伴们轻手轻脚地穿过走廊时，你就是一个遵守规则的人。

当你在考虑马路安全的问题时，你就是一个

遵守规则的人。

当你认真倾听妈妈的话时，你就是一个遵守规则的人。

遵守规则，人人都要做到哦！

遵守规则，你做到了吗？

这个世界为什么要有规则

# 大卫的规则（节选）

[美] 西西亚·洛德/文　赵映雪/译

**简介**《大卫的规则》里的大卫是一个八岁的自闭症患儿，他因为无法与人正常交流，为家人制造了很多麻烦。姐姐凯瑟琳担心弟弟会有出格的行为，于是细心地替大卫定下了许多规则，没想到自己在不知不觉中也落入了规则的牢笼，变得寸步难行。最后反倒是在一个有语言障碍的男孩贾森的帮助下，凯瑟琳才学会了逐渐开阔自己的心胸，体会到应该怎样正确对待弟弟，并终于与一群正常孩子尽情欢舞起来。本文内容节选自该书第一章，描述的就是姐姐刻意要大卫遵守各种规则。

通常，夏天我都是自己一个人找事做，我最好的朋友梅利莎，整个暑假都在加州跟她爸爸住。

看来今年应该会不一样，隔壁这个新来的女孩儿可以和我一起做我喜欢的夏天活动：到湖里游泳、看电视或骑脚踏车。说不定半夜我们还可以像书上说的隔壁朋友那样，站在窗口用手电筒传送摩斯密码。

最好的是，妈妈不必接送我，大卫就可以不用跟来。

我紧咬牙齿，不想记起上次在梅利莎家那件事。妈妈来接我的时候，大卫在梅利莎家的厨房里跑来跑去，一会儿开这个门，一会儿开那个门，不停地在找地下室。

"真正的好朋友会理解的。"回家的路上妈妈这样说。可是，我的理解是：因为大卫的关系，有时候其他人都被邀请，只有我们没被邀请。

走向货柜车，我看着那两个搬家工人：一个脸上坑坑疤疤的，看起来很严肃：另一个比较年轻，脸上带着微笑，穿着脏脏的圆领T恤和旧旧的牛仔裤。那个穿T恤的年轻人看起来和善多了。

"记着规矩。"我在背后推着大卫让他快一

点时，轻轻跟他说，"如果有人跟你说'嘿'，你也要回应一声'嘿'。"

"嘿！"我走到篱笆边时对他们喊。大卫十根指头在空中动来动去，好像在弹钢琴。

穿 T 恤的那个人回了头。

"你知道这家人什么时候搬进来吗？"我问他，"今天吗？"

他回头问货柜车里的那个男人："彼得森一家什么时候住进来？"

"如果有人跟你说'嘿'，你也要回一声'嘿'。"大卫在旁边喊，"这是规矩！"

那两个人的目光越过我，露出了我熟悉的表情——额头皱起来，意思是："这小孩有毛病啊？"

我抓住大卫的手，不让他的手指动来动去。

"大概下午五点过来。"红脸的那个男人说，"她是这样说的。"

"五点！"大卫试图挣脱我的手。

我的手腕被他扭得很痛，布鞋里的脚趾忍不住缩成了一团。"谢谢！"我假装看看手腕上的手表，故作惊讶地说，"哇，这么晚了，对不起，得走了。"

我把大卫赶上车，听到后头有人用力踩在货柜车的金属斜坡板上——"嗵！""嗵！"

大卫双手捂住耳朵："五点了，到租片店去。"

我双手紧握拳头。有时候我真希望有人能够发明一种药丸，让大卫哪天就像从长期昏睡中苏醒过来的人那样，一早醒来就没有自闭症地说："天啊，凯瑟琳，我到哪里去了？"从此他就变成一个正常的弟弟。我可以跟他开玩笑，跟他打架；可以吼他，他也会吼回来。我们可以吼来吼去到声音哑掉。

可是没有这种药丸。我们用强拗来代替

争吵，拗不过时，总会在他的大哭和我觉得伤害了他的罪恶感中收场。

"好，这是另一条规则。"我打开车门，"如果你想逃开某个人，可以看看手表，然后说，'对不起，得走了。'这招不一定总见效，但有时有用。"

"对不起，得走了。"大卫爬进车里的时候，重复着我的话。

"对，我会把这条写进你的规则里。"

那两个男人搬着一个还包着塑料套的床垫，走上隔壁的台阶。再过几天我就可以端着一盘饼干，走上那台阶去按门铃。如果隔壁女孩没有手电筒，我可以买一支容易开关的手电筒送她。

妈妈说我应该用心在我已经拥有的东西上，不要老想那些我还没有的，可是人不是应该心怀希望吗？

"坐车要扣上安全带，"大卫说，"这是规定。"

"没错。"我把安全带扣上，把素描簿翻到最后，那里写着所有我教大卫的规则。"也许有一天他会醒来变成一个正常的弟弟"的梦想如果没法实现，至少他会从这里看到世界是怎么运作的，我才不必一直解释。

我写的这些规则，有的很简单、很直接：

打嗝后要说"对不起"。

别人看电视时，别挡在前头。

冲马桶！

也有很多比较复杂的，像这些：

在操场可以大叫，但晚餐时不可以。

男生可以不穿上衣游泳，但不能连裤衩也脱掉。

还有一些注意事项，不大像规定，却和规定一样重要：

有时候人家不回答是因为没听见，但有时候是因为人家不想听见。

大部分的孩子大概都不用花太多心思学习这些规定，小时候，他们的爸妈一定都跟他们解释过。我不记得爸妈跟我讲过这些事，可是我好像自然就懂了。

大卫就不一样了，什么都得要从头教。从桃子不是长相怪的苹果，到留长发的不见得都是女生……这些事都要教。

在一条条的规定上，我又加上：

如果你想逃开某个人，可以看看手表，然后说："抱歉，得走了。"

阅读聊吧

　　生活中，我们经常会听到"无规矩，不成方圆"这样的话。这个世界为什么要有规则？读读上面的文章，完成下面的表格。

| 文 章 | 规 则 | 违反规则的后果 | 制定规则的理由 |
|---|---|---|---|
| 《十一只小猫做苦工》 | 禁止摘花！禁止通行！禁止爬树！禁止钻进袋子里！ | 被怪兽呜嘿啊哈活捉做苦工。 | 为了我们的安全。让我们的生活更美好。 |
| 《要是我不遵守规则》 | | | |
| 《规则》 | | | |
| 《大卫的规则》（节选） | | | |

　　你有没有遇到过违反规则的事情呢？如违反交通规则、公园游玩规则、比赛规则这一类事。这样的事情，回想起来一定脸红红的，严重的还会怕怕的。别怕，让我们厚着脸皮，把这些"不光彩"的事情写下来，下次引以为戒就好啦！

这个世界为什么要有规则

违反规则，让我糗大了：

_____

_____

_____

_____

_____

**问题3**

　　故事里，大卫的姐姐凯瑟琳在自己的簿子上写满了给大卫的规则，这些规则有的角度和切口很小，小到是生活中的细枝末节。假如你要为自己拟一条规则，你会拟一条什么样的规则呢？为什么？

| 我有规则要出炉 | 理由 |
| --- | --- |
|  |  |

# 找呀找呀找朋友

**导 语**

　　"找呀找呀找朋友，找到一个好朋友，敬个礼，握握手，你是我的好朋友……"听着这首儿歌，你是不是想起了你的朋友？想起你找寻朋友的那一幕？萤火虫、小牛犊、大猩猩、红狐狸也想要找个朋友，怎样才能找到呢？你能帮帮他们吗？

# 萤火虫找朋友

孙幼军

夏天的晚上，萤火虫提着黄色小灯笼，在草丛里飞来飞去。他在干吗呢？他在找朋友。是啊，大家都有朋友。可是，萤火虫连一个朋友都没有。跟好多朋友在一起玩儿，多快活呀！萤火虫也想要朋友，所以他就提着小灯笼到处找。

萤火虫飞呀飞，听见草里有响声。他用小灯笼一照，看见一只小蚂蚱。小蚂蚱一直急急忙忙往前跳。萤火虫就叫："小蚂蚱，小蚂蚱！"小蚂蚱停住了脚步，问："干什么？"萤火虫说："你愿意做我的好朋友吗？"小蚂蚱回答："我愿意！"萤火虫高兴地说："那你就和我一起玩儿吧！"小蚂蚱说："好的，一会儿我

就跟你一起玩儿，现在我要去找小弟弟。小弟
弟真淘气，不知跳到哪儿去了，天黑了还不回
家。妈妈很着急，让我去找他。你来得正好，
帮我照照路吧！”萤火虫说：“我不能给你照
路，我要去找朋友！”说完他提着灯笼飞走了。

萤火虫飞呀飞，听见草里有响声，他用小
灯笼一照，看见一只小蚂蚁。小蚂蚁背着一个
大口袋，一直往前跑。萤火虫就叫：“小蚂
蚁！小蚂蚁！”小蚂蚁问：“干吗呀？”萤火虫
说：“你愿意做我的好朋友吗？”小蚂蚁说：
“我愿意。”萤火虫说：“那你就跟我一起玩儿
吧！”小蚂蚁说：“一会儿我就跟你玩儿，现在
我要把东西送回家。我迷路了，你来得正好，
帮我照照路吧！”萤火虫说：“我不能给你照
路，我要去找朋友！”他说完就又提着小灯笼
飞走了。

夏天的晚上，萤火虫提着黄色的小灯笼

在草丛里飞来飞去。他在干吗呀？他在找朋友。为什么他老找不到朋友呢？

聪明的小朋友，你们知道萤火虫为什么找不到朋友吗？大家快告诉萤火虫如何找朋友吧！要不，他总是提着灯笼飞来飞去，多累呀！

# 征友启事

方崇智

小牛犊怪孤单的，一心想找个朋友。他贴出一张"征友启事"，上面写道："我想找个朋友：希望能陪我一起吃草、一起玩耍、一起晒太阳、一起学耕田。谁能做到以上几点，欢迎联系……""征友启事"刚刚贴出，大伙儿就争着去看。可是，山羊、猎狗、花猫和马驹，一个个兴奋地走来，又一个个摇着头离开，结果，小牛犊一个朋友也没找到。"唉，世界这么大，怎么连一个朋友也找不到？"牛犊向老牛诉苦。老牛听完牛犊的怨言，笑着教了他一个办法。

第二天，小牛犊又贴出一张"征友新启事"："我想找个朋友：希望能陪我一起吃草，或者一起玩耍，或者一起晒太阳，或者一起学耕田，谁只要能做到以上一点，就欢迎前来联系……"山羊说："让我同你一起吃草！"猎狗说："让我跟你一起玩耍！"花猫说："让我来陪你晒太阳！"马驹说："让我伴你学习耕田！"只一会儿，小牛犊就有了许多朋友。从此，小牛犊懂得了一个道理：对朋友"求全"，就会失去所有的朋友；对朋友"求同"，才会找到许多朋友！

# 我有友情要出租

方素珍

有一只大猩猩，他常常想："我好寂寞，我都没有朋友。"

有一天，他在大树上贴了一片叶子，上面写着：我有友情要出租，一小时五块钱。他坐在大树下等着、等着，等到眼睛都快闭上了。

这时候，咪咪骑着脚踏车过来了。她看到叶子，立刻跳下车，问大猩猩："什么叫友情出租？"大猩猩睁大了眼睛说："就是你给我五块钱，我陪你玩一个小时。""一个小时是多久呢？"大猩猩拿出一个沙漏说："上面的沙子全部漏到下面的时候，刚好是一个小时。"咪咪想了一下说："可不可以便宜一点？我只有一块钱。"大猩猩高兴地一直点头："好哇！好哇!"大猩猩立刻把咪咪的一块钱收进背包里。

沙漏里的沙子,开始计时了!

咪咪对大猩猩说:"我们先玩踩脚游戏,来,猜拳!"但是,大猩猩不会剪刀、石头、布。咪咪看着沙漏,着急地说:"我喊一二三,你把手伸出来就对了。"

"一、二、三。"大猩猩把右手伸出来,他的手指头撑得开开的。咪咪也伸出手,她出的是两根手指头。咪咪说:"我出的是剪刀,你出的是布,所以我赢了,你要让我踩一下!"大猩猩还搞不清楚状况,就被咪咪"啪嗒"踩下去了。他叫了一声:"哎呀!""很痛吗?"咪咪问。大猩猩揉一揉脚指头说:"不痛,不痛,我已经会了,很好玩!"

接下来,大猩猩每一次出的都是"布",咪咪每一次出的都是"剪刀",大猩猩只好被踩了一下又一下。但是,好不容易有人和他玩,他巴不得沙子不要漏得那么快呢！

第二天，咪咪又来租大猩猩的友情了。大猩猩把一块钱放进背包里，沙漏也开始计时了。

他们先猜拳，"一、二、三。"咪咪以为大猩猩只会出"布"，所以，她立刻就出"剪刀"，没想到，大猩猩出的居然是"石头"！咪咪输了，换她要被踩一脚了。大猩猩举起脚来，却看到咪咪闭着眼睛、歪着嘴巴的表情，他只好重重地抬起脚来，轻轻地踩下去。

奇怪，怎么都不痛？咪咪愣了一下，大猩猩又继续猜拳了。因为他握紧拳头赢了一次，所以，他就一直出"石头"。咪咪也知道了，她只要出"布"，就会赢大猩猩，被踩的倒霉鬼一定是大猩猩。大猩猩根本不在乎，他又叫又笑的，玩得好开心，沙漏里的沙子都漏完了，他还不知道呢！

后来，咪咪每天都到大树下来租友情。有一天，她教大猩猩玩一二三木头人。有一天，她教大猩猩讲故事。有一天，她在树下写功课，大猩猩就乖乖地趴在旁边看，即使不说一句话，大猩猩都觉得好幸福呢？

这一天下午，大猩猩没有带小背包，只是带了几片饼干，就走到大树下等咪咪。

终于，一辆大车子开过来了，咪咪从车里探出头，大声地对他说："喂，我没有钱了，而且我们要搬家了！再见！"大猩猩立刻追着车子，大声地喊："喂，我还没有学会出'剪刀'呢！"但是咪咪留下布娃娃，远远地离开了。

大猩猩失望地回到大树下："唉，我今天没有带小背包，也没有带沙漏，就是不要收咪咪的钱，而且还要请她吃饼干呢，可是，她怎么走了呢？！"后来，大猩猩又在大树上贴了一片叶子，上面写着：我有友情免费出租。一直到今天，那一片叶子都褪色了……大猩猩还在等待下一个朋友。

# 红狐狸找朋友

陈 模

红狐狸在大森林里，名声不大好，小动物都害怕他。红狐狸想多找几个朋友，塑造好形象。

小刺猬对他说："我跟你做朋友吧！"

红狐狸想，小刺猬长得又矮又小，一身是刺，尖嘴小眼睛小鼻子，他哪能配得上我！于是假惺惺地说："谢谢你想和我做朋友，只是我现在太忙，以后再说吧！"

小松鼠来找红狐狸，说："我愿意和你做朋友。"

红狐狸想，小松鼠跟老鼠都是鼠类，老鼠名声不好，和他做朋友，别的动物会笑话我。他又假惺惺地说："谢谢你，只是我现在公务太忙，以后再说吧！"

狗獾对红狐狸说："我们做个朋友吧！"红狐狸想，狗獾名声不好，又有尖牙、利爪，我打不过他，和他在一起，提心吊胆的。于是，他假惺惺地说："谢谢你和我交朋友，只是我现在忙着办健美学校，咱们以后再说吧！"

喜鹊、乌鸦听说红狐狸找朋友，对小白兔说："红狐狸天天晚上出来觅食，喜鹊、乌鸦和我们下的蛋，他吃得还少吗？千万别上当！"

大灰狼对红狐狸说："小动物怕你，我来和你做朋友吧！"

红狐狸想，大灰狼心狠手也毒，又是森林之王的军师，和他交朋友太危险啦！于是，他装出一副笑脸说："谢谢你和我做朋友，我以后还要请你多多关照，只是现在太忙，我们以后再说吧！"

一直到现在，红狐狸也没有找到一个朋友。

问题1

　　萤火虫、小牛犊、大猩猩、红狐狸想要找朋友，他们是怎么找的呢？我们来理一理。

| 角色 | 找朋友的理由 | 找朋友的方法 | 结果 |
|------|------------|------------|------|
| 萤火虫 | 一个朋友都没有 | | |
| 小牛犊 | | 写征友启事 | |
| 大猩猩 | | | |
| 红狐狸 | | | 没找到 |

　　整理完之后，我们发现他们找朋友的目的有所不同：有的是因为孤单寂寞，有的是因为想塑造自己的形象。寻找朋友的方式有所不同：有的直接用询问的方式找朋友，有的写征友启事，还有的用金钱出租。寻找的结果也有所不同：有的找到了，有的至今未找到。你知道这是为什么吗？你认为怎样才能找到朋友呢？说说你的看法。

　　萤火虫找不到朋友，是因为＿＿＿＿＿＿＿＿＿＿＿＿＿＿＿。

　　大猩猩找不到朋友，是因为＿＿＿＿＿＿＿＿＿＿＿＿＿＿＿。

　　红狐狸找不到朋友，是因为＿＿＿＿＿＿＿＿＿＿＿＿＿＿＿。

　　小牛犊一开始也找不到朋友，是因为＿＿＿＿＿＿＿＿＿＿；后来他又找到朋友，是因为＿＿＿＿＿＿＿＿＿＿＿＿＿＿。

　　我认为找朋友应该＿＿＿＿＿＿＿＿＿＿＿＿＿＿＿＿＿＿。

想一想，具有什么特质的人容易受人欢迎、容易找到朋友？和同学讨论一下吧。

受欢迎的
朋友

小牛犊、大猩猩他俩找朋友的方式很特别，也很有意思！当初你是用什么方式找到你的好朋友的？

| 找呀找呀找朋友 | |
|---|---|
| 那时，我们是这么认识的 | 1. 我给他寄了个友情包裹，写了一首小诗。<br><br>友情包裹<br><br>101 小丽　当wǒ哭泣时，你是kuān kuò的 jiān bǎng，你是 nuǎn nuǎn 的太阳。<br><br>2. 我给伙伴讲故事。<br>3. 我发了一条祝福信息给他。<br>4. |
| 找到好朋友的幸福瞬间 | |

# 丑有什么不好

**导语**

　　人长什么样不是自己能决定的。有的人希望自己高挑一点，偏偏是个矮个儿；有的人希望自己漂亮一点，偏偏相貌平平，甚至有点丑。怎么办呢？读读下面的文章，或许你对"丑"会有新的认识。

chǒu
# 丑

卢继宝

chǒu yǒu shén me bù hǎo
丑 有 什 么 不 好 ？

lài há ma zhǎng de chǒu cái cháng mìng
癞 蛤 蟆 长 得 丑 才 长 命 ，

piào liang de qīng wā chù chù wēi xiǎn na
漂 亮 的 青 蛙 处 处 危 险 哪 ！

chǒu yǒu shén me bù hǎo
丑 有 什 么 不 好 ？

piào liang de hái zi bù zhǎo wǒ wán
漂 亮 的 孩 子 不 找 我 玩 ，

wǒ cái yǒu gèng duō shí jiān dú shū na
我 才 有 更 多 时 间 读 书 哪 ！

chǒu yǒu hěn duō hǎo chù
丑 有 很 多 好 处 ，

wèi shén me wǒ yí gè rén de shí hou
为 什 么 我 一 个 人 的 时 候 ，

yǎn lèi jiù páo chū lái le ne
眼 泪 就 跑 出 来 了 呢 ？

## 大拇指

人家手掌妈妈也有五个孩子呀

老大大拇指

不也是最矮的吗

为什么我老是穿弟弟的旧衣裳

为什么弟弟老是欺负我

到处吹牛，自称是家里的老大

害得隔壁的阿海也不尊重我

说我是会老不会大

呵！真没学问，老师说的也不懂

人不可貌相嘛！

丑有什么不好

# 我就是我

[英] 安·米克/文　李冬雪/译

米罗很喜欢和朋友们玩游戏，但是每次朋友们都觉得他又矮又小，只让他当小小的角色。

这天，他们一起玩太空人和外星人的游戏。

"我想当宇航员。"米罗笑着说。

"不行！"埃勒维兹说，"宇航员不能戴眼镜，因为他们得戴头盔。"最后，米罗只能当绿色的小外星人。

"怎么了？你好像有点儿不高兴。"晚上，妈妈问他。

"我又矮又小，和朋友们玩游戏我都不能当我想当的人。妈妈，我长得像外星人吗？"米罗说。

妈妈用手臂环抱着米罗："你长得像你自

已，没有人拥有和你一样的笑容，没有人拥有和你一样的眼睛、鼻子和嘴。你是独特的，你就是你，与任何人都不相同。"

米罗仔细地盯着镜子里的自己，说："好像真的没有人跟我一样！妈妈，你说得对，我就是我！"

"更何况，成为外星人多幸运啊！能环绕太空游览，还能说神秘的外星语。"

"真的呢！"米罗笑着说，"呦克呦克……"

米罗非常开心。

# 丑小鸭

[丹麦] 安徒生

乡下是美丽的。田野周围有一些树林。一只母鸭在林子里孵小鸭。

"叽叽!"小鸭子从蛋壳里伸出脑袋叫着。

"嘎,嘎!"母鸭子也叫着。

小鸭子都钻出了蛋壳,可是还有一只最大的蛋连一点动静也没有。还要等多久呢?母鸭子都有点等不及了。

终于,这个大蛋裂开了,小家伙爬了出来。哦,他多大呀,又多么丑呀!这是一只非常大的鸭子,别的小鸭子都非常美丽,没有一个像他。

第二天,母鸭子带着所有的小鸭子来到河边,她要教他们游水。那只丑小鸭也和他们一起，游得十分开心。

游累了，他们上岸到园子里去探望别的鸭子，一群大鸭子走到一起，叽叽喳喳闹个不停。突然，园子里的鸭子们发现了这只丑小鸭。他真丑，丑得叫人讨厌。鸭子们想要把他赶走，于是便跑过来啄他。

母鸭子瞧见了，她说："你们为什么要啄他？"

园子里的鸭子们说："他又大又丑，所以我们要啄他。"

母鸭子说："虽然他长得丑，但他是一个很好的孩子，学游水时·就很认真。我想，总有一天他会变得和你们一样的。"

尽管这样，丑小鸭还是常常被啄，他非常伤心，他长得太丑了，个头儿又太大了，谁也不愿接近他，谁也不愿跟他说话，连他的兄弟姐妹待他也不好了。鸭妈妈也没办法，只好

丑有什么不好

劝他离开家。

丑小鸭离家出走了，他不知道该到哪里去，就闭上眼睛一直向前走，最后来到有许多野鸭子的田野里。他累极了，整整一夜躺在那里，一动也不动。

于是，丑小鸭就和这群野鸭子交上了朋友。后来又飞来两只雁，他们也成了丑小鸭的朋友。

一天，来了很多拿枪的猎人，他们用枪打死了两只雁。丑小鸭也被围在中间，四周站满了人，他们的狗在草丛里奔跑。丑小鸭吓坏了，不知该怎么办才好。正在这时，一只大猎狗来到他身边，张开大嘴，但猎狗并没有咬他，只看了看就跑了。

丑小鸭心想："幸亏我长得丑，不然大猎狗准会吃掉我的。"他躺在草丛里，再也不敢动。

整天丑小鸭都可以听到枪声，吓得他连晚上

也不敢站起来。后来，好容易瞅到一个机会，他才不要命地逃走了。

到哪里去呢？他自己也不知道。不久，天气变冷，开始下雪了。丑小鸭发现自己很难活下去了。

一天傍晚，丑小鸭看到一群又大又美丽的鸟，他们在天空中飞翔，准备从寒冷的地区飞到温暖的地区。这是一群天鹅。

丑小鸭再也忘不了这样美的鸟。他不知道他们要飞到什么地方去，他只知道自己非常爱这种鸟，他也知道自己不可能像他们那样美丽，只希望能和别的鸭子一起愉快地生活。

天太冷了，丑小鸭倒在雪地里。

一个渔民来到河边，看到奄奄一息的丑小鸭，就把他带回来，交给妻子。丑小鸭慢慢睁开眼睛，发现自己躺在别人家里，他害怕了，一着急，竟跳到了牛奶里。渔民全家大怒，大人、小孩都来抓他。他到处乱跑，把渔民家里的许多东西都弄脏了。于是，他被渔民一家赶走了。

丑小鸭从一个地方走到另一个地方，没有一个人愿意帮助他。有几次，他可绝望了，真想死掉，还好冬天终于过去了，真难熬啊！春天来了，丑小鸭飞起来了。他长得更大了，还能够在空中飞翔。他飞呀飞呀，最后从天空落了下来。他来到一个花园，花园旁边有一条河。

三只美丽的白天鹅从花园里走出来，走下河去。丑小鸭曾见过这些美丽的鸟儿，他决定飞到他们那里去，不管他们欢不欢迎，嫌不嫌弃自己丑。

于是，他向小河飞去，一头扎进河里，向他们游去。他把头低低地垂在水面上，他怕看见自己丑陋的面容。

突然，他看到自己的身影，那不是一只又胖

又丑的小鸭子，而是一只天鹅！原来他是从天鹅蛋里孵出来的。

天鹅们游到他身边，个个都很欢迎他。几个小孩从花园跑过来，向水里扔吃的。一个小孩叫道："大家快看，新来了一只天鹅！你们瞧他多好看！"

听到赞美的话，他想起了从前的情景，那时候没有一个人喜欢他。如今他是天鹅中最美丽的一只了，他从未想到会有这样的幸福。

阅读聊吧

问题1

上面诗歌里或童话里的主人公，都长得比较丑，心里都不太开心，他们不开心的原因是什么呢？

| 不开心的原因 | 哪些文章出现了这个原因 |
| --- | --- |
| 没人陪自己玩 | 《丑》《丑小鸭》 |
| 被人欺负 | |
| 不被尊重 | |
| 总觉得比别人差，很自卑 | |

问题2

你觉得这组作品中的主人公，谁最后心里还是没有接受自己"丑"？

《丑》里的"我"嘴巴上说长得丑有许多好处，但心里还是很难过，都伤心得哭了。

《大拇指》里"我"对自己长得矮有些不甘心。

问题3

如果丑小鸭没有"变成"天鹅，永远是又丑又胖的鸭子，你觉得他怎样做才能得到快乐？